UNIVERS DES LETTRES

Série Thématique

dirigée par Georges Décote

L'AVENTURE

D'HÉRODOTE A MALRAUX

par

ROGER MATHÉ

Maître de Conférences
à l'Université de Limoges

BORDAS

Paris - Bruxelles - Montréal

● SOMMAIRE

Ⓒ BORDAS, 1972 No 255 730 606.   PRINTED IN FRANCE

ISBN 2-04-000114-X

CHAPITRE IV : XVIᵉ SIÈCLE. CARAVELLES ET ARQUEBUSES

CHAPITRE V : XVIIᵉ SIÈCLE. DE LA MER A LA CHIMÈRE

CHAPITRE VI : XVIIIᵉ SIÈCLE. UN AVENTURIER NOMMÉ CANDIDE

Sommaire

CHAPITRE VII : XIXe SIÈCLE. DE CHACTAS A SHERLOCK HOLMES

CHAPITRE VIII : XXe SIÈCLE. A GIRL AND A GUN

Pour l'aventurier, jouer sa vie est un pari qui le surexcite (photo extraite du film "Il était une fois dans l'Ouest").

● AVANT-PROPOS

Essai de réhabilitation.

Le thème de l'aventure, ce pelé, ce galeux... Quand ils en parlent, les délicats font la moue, s'indignent [1]. C'est qu'il nourrit des œuvres dont la prolifération, le mode de distribution paraissent suspects : feuilletons quotidiens ou hebdomadaires, bandes dessinées, livres aux couvertures jaunes, noires, multicolores, publiés dans des collections spécialisées, vendus dans les bureaux de tabac, les kiosques, les gares... Cette surproduction, cette publicité ont mauvaise presse : elles dénoncent le produit de confection, fabriqué en série, fruit non d'un effort créateur, mais de recettes, au succès éprouvé, trop facile. On dirait qu'il existe une connivence de piètre aloi entre l'éditeur, l'auteur, le lecteur. Le premier flaire les goûts dépravés du public et passe commande : Faites-moi du Maigret, du James Bond, du San Antonio (Chaque catégorie de ces romans a son héros attitré, qui lui donne son image de marque, assure son audience.) L'écrivain exécute la demande : tant de pages, livrées à jour fixe, utilisant des canevas, des procédés, un langage devenus rituels, attendus par les consommateurs attitrés. Eux, en effet, consomment le livre, d'une lecture machinale, quand ils veulent se délasser ou par désœuvrement. Jamais ils n'attendent de ce genre d'ouvrage un enrichissement, une réponse à leurs problèmes. Lire n'est plus qu'un acte automatique, accompli dans l'indifférence et l'incuriosité.

---

1. Claudel, par exemple, qualifie le roman policier de « genre stercoraire... hybride et un peu monstrueux ».

Le roman lu, on le jette ou on le donne, comme un objet de rebut.

Méprise? Injustice? Le thème de l'aventure mérite-t-il un traitement aussi indigne? Est-ce sa faute si des préoccupations commerciales l'avilissent? Qu'on l'utilise pour capter la faveur et les francs lourds du grand public, c'est une preuve de son efficacité. Parmi tous les genres littéraires, il s'impose par son dynamisme, sa variété, son mouvement rapide, ses coups de théâtre, ses effets percutants. On lui reproche d'être vulgaire, de se complaire à étaler la violence, la sensualité, les passions mauvaises, la laideur... Du sang, de la volupté, de la mort... Aussi crée-t-il le pathétique, le dramatique, le tragique, à l'usage du populaire, sans doute. Mais il empoigne, et c'est là l'essentiel. « Vive le mélodrame où Margot a pleuré » s'est écrié Musset, donnant ses lettres de créance à un genre dramatique dévalué. Le livre d'aventures ne tire pas les larmes; il distille l'anxiété, un léger frisson d'angoisse: toujours, le sort d'un héros choyé est en balance. Producteur d'émotions fortes, il peut également dépayser, plus que l'œuvre exotique; son espace géographique et temporel est illimité: il met en scène l'homme de Cro-Magnon aussi bien que l'astronaute de l'An 2000, promène notre curiosité en Patagonie, à Pékin ou dans la lune, nous introduit dans les palais, les prisons, les laboratoires, les bouges... Que de moyens pour imposer son vulgaire prestige! Il dispose de la langue académique et de l'argot, des artifices de la mise en scène, du pittoresque, des contrastes à scandale, de l'érotisme, du rythme cinématographique. Toute la gamme des genres, du roman de mœurs au spectacle du Grand Guignol, est à sa disposition.

Traité en profondeur, le thème de l'aventure peut servir de test: il permet d'éprouver exhaustivement l'homme, placé dans des circonstances anormales, de fouiller les replis de son subconscient — mieux, théoriquement, que le drame ou le roman traditionnels — puisqu'il méprise les bienséances, dans sa fantaisie sans bornes. Il est susceptible de révéler des cas ou des crises de conscience, des faits humains d'une singularité inouïe. Peut-on qualifier de vile ou de puérile une forme littéraire qui touche aux sciences humaines, qui recourt à la psychologie, à la psychanalyse, à la psychiatrie, à la médecine, à la sociologie, à l'économie, à la géographie, à l'histoire, à l'actualité politique, scientifique, philosophique? Est-ce un hasard si Maigret, l'un des « aventuriers » contemporains les plus significatifs, se veut « réparateur d'âmes », — si Malraux, Hemingway, Pasternak s'inspirent des convulsions et des conflits idéologiques qui secouent notre globe? A-t-on le droit d'ignorer les chefs-d'œuvre, pour condamner sans peine les ouvrages de série?

Ce thème a ses lettres de noblesse. Homère l'exploita et Chrétien de Troyes, et Lesage, et Hugo, et Balzac et Stendhal et Claudel et tant d'autres écrivains illustres. Aujourd'hui, d'une production proliférante, émergent des œuvres magistrales, chargées de pensée. Et, comme l'aventure, c'est l'attente de ce qui va advenir, comme toute création littéraire ou filmée s'insère dans la durée, quel livre, quel film, même pauvre en événements, même lentement rythmé, peut tout à fait l'ignorer?

● CHAPITRE I

● PRESTIGE D'UN MOT

> « On naît aventurier, comme on naît poète.
> « On meurt toutefois, aussi bien à Tampico qu'à Meudon. »
> Pierre MAC ORLAN.

● Aventure

« Nous allions droit devant nous sur la mer, et, quand une voile d'étai nous cachait ce qu'il nous fallait voir, nos couteaux trouaient la voile, car jamais nous n'aurions eu la pensée de nous baisser à droite ou à gauche. » Ainsi se comportaient les forbans de *l'Étoile-Matutine*[1] : ils fonçaient vers l'avant, pleins d'arrogance, quêtant l'aventure.

L'aventure! ce qui va arriver, c'est-à-dire, nous l'espérons bien, ce qui va troubler notre situation, déranger notre quiétude.

---

1. Navire ayant donné son titre au roman de Pierre Mac Orlan, *A bord de l'Étoile-Matutine*.

Mot explosif, chargé de toute une dynamite d'imprévu, d'insolite, d'inquiétant, voire d'un périlleux qui fait agréablement frissonner. Mais aussi, certitude d'une nouveauté et peut-être d'un renouveau. Le hasard, surtout dangereux, remettant en cause notre état présent, transforme notre destin, nous offre l'occasion de faire notre mue. A nous de la saisir.

TENTATIONS

Aussi l'aventure, bien que riche en fatigues, en souffrances, en risques, est toujours tentante. Ceci pour deux raisons :

1. Elle nous divertit, en faisant craquer le cercle de nos habitudes. Après l'aventure, nous avons des chances de vivre dans des conditions tout autres que précédemment. Pendant l'aventure, nous sommes affranchis de nos soucis routiniers, nous vivons à un rythme exaltant; l'ennui, le chagrin, la peur du lendemain s'estompent. Nous avons, en vivant l'aventure, un sentiment de libération : du fait que nos habitudes, notre mode de vie sont bouleversés, nous sentons se relâcher nos liens avec le passé et les contraintes sociales, légales. Nous devenons disponibles, prêts à une existence vierge, — impression enivrante qui nous donne l'illusion que nous ne pesons plus sur terre de notre poids d'homme. Mirage, sans doute, dans la plupart des cas. Seules les grandes aventures, celles qui mettent la vie en jeu, guerre, complot, révolution libèrent intégralement ceux qui les vivent. Dans *Prélude à Verdun*, Jules Romains analyse la mentalité des combattants, voués à une mort presque certaine. S'ils acceptent, constate-t-il, un destin cruel, immérité, c'est par orgueil, certes, afin de ne pas se diminuer aux yeux des autres; surtout, ils ont l'impression réconfortante, tonique, de rompre avec l'être qu'ils furent, d'échapper au réseau d'obligations que la famille, la morale, la loi, les convenances, les sentiments ont tissé autour d'eux.

2. Confrontés à un état de choses inattendu, nous sommes obligés de faire un effort sur nous-mêmes, pour nous adapter à des circonstances inconnues. Si banale soit-elle — simple incident de voyage — l'aventure nous contraint à nous dépasser, en montrant présence d'esprit, souplesse, parfois courage et endurance. Bref ce qu'il y a de meilleur en nous est sollicité, mis à profit. Une fois le cap franchi, nous risquons d'être meilleurs : peut-être avons-nous été débarrassés de préventions,

de craintes futiles. Nos vertus, mises à l'épreuve, se seront épanouies. Les caprices du sort ont pu nous ménager de bénéfiques contacts. En un mot l'aventure est enrichissante. Nous faisons peau neuve et notre nouvelle enveloppe est de matière plus rare.

AVENTURE ET ANARCHIE

Celui qui court l'aventure espère d'elle une sorte de renaissance. En attendant de devenir autre, il a l'impression, le temps de l'épreuve, d'être un homme en marge, un hors-la-loi en puissance. L'équipage de *la Santa Maria*[1], — c'est un cas extrême — lancé sans espoir vers l'Ouest inconnu, était en partie composé de condamnés à mort, graciés pour la circonstance. La société se montre maternelle pour ceux qui doivent s'aventurer dangereusement, par ordre, pour le bien. Elle glorifie les aventuriers bienfaiteurs, les pionniers, les découvreurs de terres, d'eaux, de peuples, de secrets scientifiques, qui courent un danger afin de la servir. Aux autres, les risque-tout inutiles ou nuisibles, pirates autrefois, aujourd'hui gangsters, elle réserve la prison, la potence. Mais dans l'un et l'autre cas, ces hommes, qu'ils finissent décorés ou pendus, sont placés dans des conditions de vie exceptionnelles, anormales. Les règles communes ne s'appliquent plus à eux. Irréguliers qui assument un rôle difficile, ils jouissent de privilèges antisociaux, anticonformistes, compensation pour le péril, nécessité imposée par l'incertitude de leur sort. Ou plutôt ils se les arrogent. Le négrier en terre d'Afrique emmenait de force la population des villages pour les vendre aux colons américains. Roger Vercel raconte les pittoresques et délictueux procédés qu'employait un chef de corps franc, en dehors des combats[2].

Car le monde de l'aventure est un univers particulier. Les règles et les croyances habituelles n'y ont plus cours. Les menaces multiformes autorisent les parades les moins conformistes. A tous les niveaux : le soldat démolira le mur d'une ferme afin de dégager le champ de tir de sa mitrailleuse, le général fera défolier à la bombe toute une forêt pour débusquer des partisans. Aux prises avec l'aventure, nul ne se soucie de droit, de léga-

---

1. Caravelle de Christophe Colomb.
2. Roger Vercel, *Capitaine Conan*, Albin Michel, 1934.

lité, de sensiblerie. Sauf Don Quichotte! Mais c'est un aventurier pour rire, qui se bat contre des moulins à vent. L'aventurier réel doit sans cesse se garder, demeurer sur le qui-vive. Il en vient à admettre que tous les moyens sont bons qui permettent de survivre, ou de triompher. Le jeu proposé ne respecte pas le règlement habituel. Il admet la violence, la tromperie, la cruauté que condamnent toutes les morales religieuses ou laïques, toutes les jurisprudences. Alors, à quoi bon se gêner? L'aventure est une passe difficile où souffle la tempête. Même si les manœuvres employées ne sont pas orthodoxes, l'essentiel est de franchir le détroit.

INTERFÉRENCES

L'amour de l'aventure a des interférences avec le sens exotique, le désir d'évasion, le goût des voyages, le sentiment héroïque, et c'est normal. Au départ de l'aventure, quelle qu'elle soit, il y a toujours un besoin de changement. « Le pirate, écrit Gilbert Lapouge, est un homme qui n'est pas content. L'espace que lui allouent la société ou les dieux lui paraît étroit, nauséabond, inconfortable. Il s'en accommode quelques brèves années et puis il dit « pouce », il refuse de jouer le jeu. Il fait son baluchon...[1]. » Tous les aventuriers ne sont pas des pirates, mais ils veulent changer d'horizon. Le mouvement leur est imposé : déplacement corporel en général; quelquefois divagation de l'esprit, errance dans le monde du rêve ou des chimères. Certes les sages résistent à cette quadruple tentation : ils s'accommodent de leur sort, ils démystifient l'héroïsme, ils vivent en plein accord avec eux-mêmes, ils restent en place. Diogène dans son tonneau, Montaigne en sa librairie, Pascal dans sa chambre, La Fontaine dans ses parcs... L'immobilité, c'est le remède efficace contre le désir de tenter l'aventure, d'aller « ailleurs », afin de connaître une existence plus comblée, de cueillir l'immortalité de la gloire. Certes, tous ceux qui ne sont pas des sages, et qui s'agitent, ne sont pas des aventuriers. Il s'en faut de beaucoup. La plupart restent cramponnés à leur bureau, à leur pré, à leur usine, à leur école, se contentant de grommeler et de rêver à l'aventure. Seule une mobilisation générale ou un cataclysme, leur forçant la main, les pousse

---

1. G. Lapouge, *Les pirates*, Édit. A. Balland, 1969, p. 17.

à partir. L'aventurier authentique, non mobilisé, est un homme qui se meut librement : on ne court pas l'aventure sur place. Un environnement habituel, une façon de vivre monotone, des visages trop connus érodent les passions primaires, seul levain de l'esprit d'aventure.

Car, si on veut la connaître, il est presque indispensable de partir — comme le voyageur, le désabusé, le héros en puissance. Même l'aventurier de l'esprit est un chercheur condamné au mouvement. Il ne peut se cloîtrer toujours dans son cabinet, sa bibliothèque, son laboratoire. L'usage du monde est irremplaçable. Montaigne lui-même, le plus casanier de tous, quitta sa librairie. Aujourd'hui surtout, au temps des colloques, des conférences, des enquêtes, le savant se déplace, sans parler des combats qu'il lui faut soutenir de-ci, de-là contre une indifférence ou une hostilité qu'il rencontre fatalement — c'est un anticonformiste de la pensée, de la science.

Si l'homme s'aventure avec son corps, il est voué aux grands espaces ou aux régions interdites. Don Quichotte s'évade de son manoir, Lindberg, à bord du *Spirit of Saint Louis*, s'envole de New York pour gagner le Bourget. Colomb abandonne son mouillage des Canaries, Rodolphe, le héros d'Eugène Sue [1], son hôtel quand il se risque dans les bas-fonds. Au début, il faut quitter une maison, un rivage, un havre où l'on est à l'abri, où la vie ne pose pas de problèmes. On doit renoncer à une situation connue, donc rassurante, procéder à une sorte de dépouillement. Les gentilshommes gascons prenaient un nom de guerre en entrant dans les mousquetaires; le légionnaire perd son état civil en s'engageant; les conspirateurs, les maquisards se désignent par des surnoms. Tel un soldat en rupture de ban, l'aventurier fait table rase de son état.

Ce départ a pour fin l'inconnu. Nombre d'aventuriers sont des voyageurs qui sillonnent les mers, les déserts ou se risquent dans les zones périlleuses : territoire ennemi, bouges, secteurs non explorés de la connaissance... Mais le voyageur est un touriste, qui se dépayse sans péril. Il n'est point un explorateur. D'autres ont reconnu ses itinéraires, préparé ses étapes. L'aventurier, au contraire, suit des pistes mal frayées. Comme il est voué à vivre en franc-tireur, des embûches le guettent. Son

---

1. Dans *Les mystères de Paris*, 1842-1843.

voyage est une lutte permanente contre la peur, la faim, la fatigue, la souffrance, la mort, terme parfois de ses errances.

Pour être courue, l'aventure exige bien des vertus : à l'épreuve du danger, il faut se conduire en homme, si l'on veut survivre. Or, montrer constamment du courage, de l'endurance, du sang-froid, c'est l'apanage du héros. C'est aussi le lot de l'aventurier.

L'AME DE L'AVENTURIER [1]

Ce mot fait naître des sentiments ambigus : admiration pour l'homme qui ose et fait bon marché de sa vie, — méfiance à l'égard d'un individu en marge dont l'action, même louable, heurte l'opinion publique. Il est indéniable que l'aventurier, dans l'ordre de l'action ou dans le domaine de la pensée, porte en lui des virtualités héroïques. Le Grand Larousse Encyclopédique le définit : « Qui cherche la gloire par les armes. Les anciens Paladins étaient des aventuriers », définition désuète et restreinte : il est, depuis longtemps, d'autres aventures que les hasards d'un combat.

Les dictionnaires proposent d'ailleurs une définition moins flatteuse. Au Moyen Age, au xvie siècle, on appelle aventurier le soldat irrégulier, qui n'est point astreint à une discipline stricte et renonce à une solde — se réservant le droit de piller. Voilà bien terni le halo de prestige. Impossible d'accorder la considération méritée par la grandeur, à un risque-tout poussé par des intérêts vulgaires. L'aventurier qui tue est parfois un desperado, cherchant une évasion dans le danger : il fuit la société dont il se croit la victime ou qu'il ne peut souffrir. Quelquefois, c'est lui-même qu'il fuit, parce qu'il se sent instable, qu'il se prend en dégoût. Flibustier des Antilles, pirate du Pacifique, reître des guerres de religion, coureur des bois, légionnaire de Colomb-Béchar, « Affreux » du Biafra, détourneur de Boeing... Jouer sa vie est un pari qui le surexcite : le péril le dope, le revalorise à nos yeux, le divertit de ses remords, de son ennui, de son angoisse. D'autres raisons, plus médiocres encore, le précipitent dans l'aventure : appât du gain, besoin d'exercer sa volonté de puissance, d'assouvir des instincts brutaux... Certes, des hommes de ce genre ont une personnalité voyante, leur comportement peut avoir de l'allure. On leur

---

1. Cf. Roger Stéphane, *Portrait de l'aventurier*, et la préface de Jean-Paul Sartre, Éd. Grasset, 1965.

accorde l'intérêt qui s'attache aux non-conformistes, surtout quand ils affrontent la mort.

Mais ils n'entraînent pas l'adhésion des autres; ils ne sont pas soutenus, exaltés, magnifiés par l'opinion populaire. Car ils ne visent pas un but désintéressé. Ont-ils un idéal, il est de portée restreinte. Le légionnaire accepte de mourir par point d'honneur, pour ne point entacher la renommée de son corps. Le Frère de la Côte [1], autrefois, n'abandonnait jamais son « matelot ». La fidélité à une tradition ne suffit pas à les élever jusqu'à l'ordre héroïque. Pour le vulgaire, ils sont des hommes, à peine différents des autres, sans épaisseur, sans mystère. Seul un hasard malheureux, un caractère asocial les a poussés vers l'aventure. Peut-être une imagination limitée les oblige-t-elle à vivre, à leurs risques et périls, la vie dangereuse qu'ils sont incapables de rêver. Personnages ambigus, à côté de vertus sublimes, ils étalent les pires bassesses : goût de la violence, de la brutalité, mépris de la faiblesse, voire duplicité et fourberie. Ils ne sont point baignés de cette pure lumière qui illumine les actes du héros.

Il existe, à vrai dire, une autre catégorie d'aventuriers, hommes d'action, hommes de science ou de foi. Eux aussi, à leur manière, s'engagent dans des entreprises hasardeuses. L'amour du risque les exalte, les incite à se surpasser. A la différence des précédents, ils sont désintéressés, le désir de servir les anime, même s'ils usent de violence. Au Moyen Age, il y eut des chevaliers errants — Don Quichotte est leur parodie littéraire —, en toute période troublée, des conspirateurs : frondeurs de l'époque Richelieu, conjurés royalistes cherchant à éliminer Bonaparte, comploteurs républicains visant Louis-Philippe, anarchistes du siècle dernier, Chalais et Cinq-Mars, Cadoudal, Fieschi, Caserio ou Vaillant... Certes ils font bon marché de leur vie, de la vie des autres; mais le mobile qui les voue à l'aventure, si discutable soit-il, reste noble : ils servent une cause qu'ils croient juste, ils assouvissent une vengeance qu'ils jugent légitime. Ils jouent un jeu dangereux pour le triomphe d'un parti.

D'autres aventuriers, hautement estimables, sans verser le sang, mettent en jeu pareillement leur bonheur, leur réputation, leur vie. Ce sont des êtres sociaux, remarquablement équili-

---

1. Nom que se donnaient au XVIIe siècle les flibustiers de l'île de la Tortue, près de Saint-Domingue.

brés, mus par un noble dessein. Ils servent les intérêts de l'humanité en explorant des pays inconnus, des espaces hors de notre portée, ou l'univers infiniment mystérieux que constitue notre être. Ce sont tous des chercheurs d'aventures, puisque au départ et au cours de l'action, ils prennent un risque : affronter le danger, l'indifférence ou l'hostilité, parier sur une hypothèse qui peut se révéler erronée, se heurter à des obstacles matériels ou spirituels... Leur action est inoffensive : elle ne s'exerce pas au détriment d'un homme, d'un groupe. René Caillié pénètre dans Tombouctou déguisé en Touareg : il n'abat personne. Rarement l'explorateur des déserts ou des forêts tropicales s'ouvre une route à coups de fusil. Quant au savant, au mystique, il assume personnellement tous les dangers. Trop souvent, il expie la gloire d'avoir eu raison, seul. On dirait que la réussite, au bout de cette aventure, exige une compensation. Palissy, Galilée, Giordano Bruno [1] perdent leur liberté. Savorgnan de Brazza, Livingstone meurent en Afrique, Scott périt en revenant du pôle Sud, Mermoz s'engloutit dans l'Atlantique. La cruauté des sots, les miasmes africains, les glaces, les flots de la mer sont autant de formes prises par le destin contre l'aventurier de l'esprit : savant, découvreur, traceur de pistes et de lignes... pour le châtier de son audace. N'a-t-il pas voulu élargir le cercle des connaissances, dépasser les limites assignées à l'homme? Et s'il échappe au malheur, cueille des lauriers mérités, c'est au prix de longs efforts, d'une existence de travail et d'épreuves, traversée par la jalousie et le dénigrement. Quant au mystique qui croit contempler Dieu, il se sépare de ses frères humains qui ne le comprennent pas.

Ce sont là des généreux, au sens cornélien du mot et au sens moderne : ils ont le cœur élevé, ils « se dévouent. » Cependant, ils ne bénéficient pas de la prestigieuse auréole du héros. Malgré leur grandeur, ils restent à la mesure humaine, car ils vivent mêlés aux hommes qui peuvent déceler leurs imperfections, leurs faiblesses. Leurs échecs — inévitables —, les affronts subis, une réputation sans cesse contestée, une réussite remise en question, une existence connue de tous, souvent limpide, les maintiennent au niveau du vulgaire. Ils ne sont pas portés par le concours de tout un peuple. Les poètes, rarement, célè-

---

1. Philosophe italien du XVIᵉ siècle qui combattit la scolastique (méthode d'enseignement du Moyen Age, fondée sur le respect de la tradition et l'emploi du syllogisme) et la doctrine d'Aristote. Il fut brûlé à Rome comme hérétique.

brent leur gloire. Impossible d'entrer dans la légende, d'incarner une vertu ou de signifier une entreprise exceptionnelle. L'aventurier appartient au domaine public, non au domaine mythique.

DISTINCTION : HÉROS, MILITANT, AVENTURIER.

Même illustre, il n'est point un héros [1]. Fait d'une étoffe moins brillante, il a aussi moins de mérite et par conséquent de vertu : l'épreuve affrontée ne paraît pas, *a priori*, hors de nos prises. Elle n'exige ni qualités ni interventions surnaturelles. Enfin, à l'aventurier, ne s'attache pas l'aura du mystère. Tout, dans ses origines et dans ses actes, est clair, explicable. Pas de prestigieuses ténèbres autour de sa naissance; sa mort, même tragique, ne laisse aucune marge à l'imagination. Peu d'exception à cette loi : l'origine de Colomb, génois, normand, juif espagnol [2] ?... la disparition du pirate français Laffitte qui sauva la Nouvelle-Orléans de l'invasion anglaise (1812), puis cingla vers le large et disparut? Habituellement, la carrière de l'aventurier est un long cheminement : de la banalité d'une jeunesse sans histoire, il s'élève par paliers vers la réputation, quelquefois jusqu'à la célébrité; alors, il s'esquive de la scène. Il lui arrive de goûter une vieillesse paisible, de mourir dans son lit. Jean Bart après cent abordages, contracta une pleurésie qui lui fut fatale, Vidocq [3] mourut à 83 ans, l'espion Cicéron — il révéla aux Allemands le plan de l'opération Overlord — vient de finir ses jours, bourgeoisement. L'aventurier, à la différence du héros, ne connaît pas l'apothéose.

En revanche, le héros intrigue, éblouit. Sa carrière est fulgurante et brève : tel un météore, il éclate en des circonstances dramatiques (guerre, révolution, danger couru par sa patrie...), parcourt avec allégresse le cycle de ses hauts faits, et disparaît, spectaculairement. Peu importe qu'il ait une réalité historique. Son lustre est tel que les imaginations populaires sont violemment sollicitées : on lui prête une existence au destin dramatique : une naissance obscure, une jeunesse passée à l'écart, parmi les simples (il est l'élève d'un Centaure comme Achille, nourrisson

---

1. Cf. dans la même collection le passionnant ouvrage de Ph. Sellier : *Le mythe du héros.*

2. S. de Madariaga, *Christophe Colomb.*

3. Célèbre aventurier (1775-1857) qui fut chef de la Sûreté après avoir été malfaiteur et envoyé au bagne. Il a laissé des *Mémoires.*

d'une louve, tel Romulus). David garda les troupeaux en Judée, Pâris sur le mont Ida, hanté par les déesses, sainte Geneviève fut bergère à Nanterre, Jeanne d'Arc à Domrémy. Brutalement, sans raison logique, le héros, ou l'héroïne en puissance, devient un élu, sa grandeur s'impose, surnaturelle. Il tue le lion de Némée, il prend seul des villes fortes, elle entend la voix des saintes, chasse de France le Hun ou l'Anglais. Une série d'exploits fait de cet être le champion d'une caste, d'un peuple, d'une cause, jusqu'à l'heure où il périt tragiquement sur un bûcher, s'il est Héraclès ou Jeanne, — en terres lointaines comme Ulysse ou Cyrus.

En cours de route, il a exercé une influence décisive : toute une collectivité, cité, nation, continent paraît concernée. Le Cid sauve l'Espagne de l'invasion maure, Tristan, la Cornouaille du Morholt, Thésée libère la Grèce du Minotaure, Horace assure à Rome la suzeraineté du Latium, jetant les fondements de sa puissance future, Roland défend la Croix contre le Croissant... Sa dimension, l'éclat de ses services font de lui un surhomme, un sauveur prédestiné. Quelle aubaine pour un poète! l'inspiré s'en empare, le chante comme un demi-dieu. Une fois mort, le héros laisse derrière lui une traînée de légendes.

C'est qu'il a l'heureuse fortune de surgir à un moment propice : il incarne alors l'espoir de tout un peuple. Autre chance : il a l'heur de rencontrer un poète à la voix forte : Homère, Virgile, Camoëns, Le Tasse, Hugo ... qui, en lui donnant une stature épique, un rayonnement surnaturel, l'impose à l'admiration du vulgaire. L'épopée donne à l'audacieux une promotion : elle en fait un héros.

L'aventurier, lui, laisse à la postérité une impression moins éclatante. On dirait qu'il agit petitement, dans un coin, pour son compte. Vérité pour les aventuriers de la violence ou du pari — impression semblable même pour les désintéressés aux prises avec l'aventure — le chercheur, par exemple, œuvre obscurément avant de s'imposer : Stanley, perdu dans les forêts congolaises, Curie travaillant à l'écart. Et son action n'a qu'un but limité : c'est une spécialité, à l'effet restreint. Peu se sentent concernés par elle. Artisan façonnant l'aventure et non artiste l'imposant, comment pourrait-il intéresser le poète qui dispense la gloire, transforme en mythe la réalité?

A plus forte raison, s'il recourt à la force — c'est le cas le plus fréquent. Tous les combats qu'il livre sont douteux. Verse-t-il le sang, on l'accable : c'est un massacreur. Sa cruauté fait oublier son courage, sa hardiesse, l'immensité du péril. On porte aux nues les tueries du héros; les siennes ont mauvaise presse. Achille emplit de morts le lit du Scamandre : le poète le compare à l'Invincible Arès; Hadès lui sait gré de peupler le royaume des morts. Fernand Cortez avec une poignée d'hommes conquiert un immense empire; il fait passer au fil de l'épée les défenseurs de Mexico : il est un aventurier, le bourreau des Aztèques. Roland a beau jeu de pourfendre les Sarrasins : on loue son héroïsme, cette force prodigieuse qui lui permet d'infliger d'effroyables blessures. Quand il expire, Dieu envoie l'archange Gabriel et saint Michel du Péril de la mer recueillir son âme. Montbard, « frère de la côte », fait un carnage d'Espagnols : c'est un flibustier qui reçoit l'affreux surnom d'« Exterminateur ».

C'est un fait : l'aventure est un thème qui s'accommode de la prose et des genres mineurs : récit, nouvelle, roman surtout. Elle ne mérite pas l'investiture de l'épopée. Toutefois, si l'aventurier offre à ses compatriotes un empire, il peut se rencontrer un poète qui fasse de lui un héros, tel le navigateur Vasco de Gama célébré par Camoëns [1]. Mais convenons que la ligne de partage entre l'aventurier et le héros est mouvante, indécise. Affaire de chance, peut-être. Entre le chevalier et le condottiere, une seule différence : la cérémonie de l'adoubement. Les lettres de marque qui firent de Duguay-Trouin un héros national, manquèrent à l'Olonnais [2]. Chaque fois que le surhomme se dépouille de sa ténébreuse grandeur, pose son auréole et dépose son bilan d'être humain, il descend de son piédestal.

Parfois, cherchant une occasion de vivre dangereusement, il participe à un mouvement révolutionnaire, il prétend servir une cause. Ainsi lord Byron se mêlant aux insurgés grecs, Malraux aux communistes de Canton. Mais il n'est point un militant. Le militant est membre d'un Parti qui le façonne, l'absorbe, le transforme en une créature anonyme. « Il n'est jamais seul puisqu'il vient à lui-même à partir de tous. Il n'a ni profondeur, ni secret [3]. » Animé par la même haine ou le même

---

1. L'un des plus grands poètes de la littérature portugaise (1524-1580).
2. Surnom de l'un des plus célèbres flibustiers du XVIIᵉ siècle, Jean-David Nau.
3. J.-P. Sartre, Préface au *Portrait de l'aventurier* de Roger Stéphane, 1950 Sagittaire; rééd. Bernard Grasset, 1965.

enthousiasme que ses compagnons, il pense et agit sur ordre. Jamais d'initiative, son dévouement est téléguidé, sa mort reste obscure. A peine disparu, il est remplacé par un autre. Pas question de prestige, de gloire personnelle. Seul compte l'intérêt du Parti. Cherche-t-il à se singulariser, il devient un parasite dont on se débarrasse. D'ailleurs, sa foi l'empêche de combattre en avant des lignes. Lui ordonne-t-on de sacrifier sa vie, il meurt comme il a vécu, dans le rang. Tchen, héros de *La condition humaine* a décidé de tuer Tchang Kaï-chek... exploit solitaire, spectaculaire, répréhensible. Au moment de lancer sa bombe, il sait que son geste sera renié par les siens. Point de place pour les héros dans le monde rigoureusement discipliné qu'il voudrait instaurer, ni pour l'aventurier, ce solitaire anarchiste, orgueilleux, rebelle à toute aliénation. Si le militant parfois accepte son concours, s'il rend hommage à son énergie, à son efficacité, il condamne en lui le desperado, vide de passion forte et féconde, menant une existence périlleuse par jeu, sans enjeu.

INVENTAIRE THÉMATIQUE

Chaque aventure doit être jugée en fonction de son temps : Magellan, bouclant pour la première fois le tour de notre globe à bord d'une caravelle a accompli un exploit aussi fabuleux, plus peut-être, qu'Amstrong foulant le sol de la lune. Les progrès de la science et de la technique ont permis à l'homme d'éclairer nombre de mystères, réduisant dans l'aventure la marge des périls. L'aventurier moderne est délivré des antiques terreurs qui peuplaient l'univers inconnu de monstres et de prodiges.

Néanmoins, en dépit de la multiplicité des formes prises par l'aventure au cours des siècles, nous pouvons la ramener à quelques catégories typiques, si nous nous plaçons dans une optique littéraire. Chacune d'entre elles est courue par un aventurier caractéristique, obéissant à des motivations rituelles... qu'il s'agisse d'aventuriers fictifs, créés par un auteur ou d'aventuriers historiques dont l'œuvre littéraire reproduit la vie, en l'arrangeant. Proposons une classification, de toute évidence arbitraire :

1. *L'aventure quêteuse*, celle du voyageur, du marin, de l'explorateur, du pionnier de l'Ouest, de l'air, de l'espace : Hannon, Marco Polo, Cook, Stanley, Lindberg, Mermoz et son équipe,

Gagarine et les Américains de la lune... ou l'aventure du savant déchiffreur de secrets, Newton, Fleming, Einstein, aventuriers de la pensée. Cette aventure est, en principe, innocente : elle n'a point recours à la violence et ses mobiles sont désintéressés. L'aventurier est dans ce cas un « curieux » (ainsi Pascal appelait ceux qui appartiennent à l'ordre de l'esprit). L'aventure est pour lui un moyen de satisfaire une curiosité qui se révèle féconde. Elle donnera naissance à des récits de voyage et de science-fiction.

2. *L'aventure héroïque*, elle aussi désintéressée : l'aventurier affronte l'aventure parce qu'il poursuit un idéal. Il ressemble beaucoup au héros dont il est la réplique humaine. Il s'incarne en des personnages très divers : combattant volontaire, croisé, chevalier errant, chevalier féal, légionnaire, missionnaire, opposant à un régime... Du Guesclin, Amadis de Gaule, Robespierre, Henri de Bournazel, le Père de Foucauld, Clemenceau les personnages de *L'espoir*, des *Mercenaires*... Ces êtres sont auréolés de légende : hommage à leur dévouement, à leur mépris du danger, aux services rendus à une cause. Leurs exploits sont contés dans des biographies, surtout dans des œuvres à prétentions historiques ou romanesques. Du sang, des horreurs, mais aussi, chez les protagonistes, une élévation de pensée qui rachète la brutalité de leurs actes.

3. *L'aventure individuelle :* elle peut être intéressée, quand elle est déclenchée par l'esprit de lucre, de conquête, de gloire. L'aventurier qui la vit est assez mal famé : son entreprise, foncièrement égoïste, animée par une volonté de puissance, s'exerce dans la cruauté, le mépris des autres, la violence. C'est le moins sympathique de tous : il est le plus propre à l'expression romanesque, par son relief, les situations étranges, pittoresques ou pathétiques qu'il crée. Au bas de l'échelle, c'est un bandit, amusant s'il est un picaro, attachant s'il se nomme Gil Blas, Mandrin, Arsène Lupin, odieux quand il est Fantomas ou un écorcheur des Grandes Compagnies [1].

A un niveau supérieur — l'aventure est alors involontaire —, l'aventurier se contente d'être un personnage à part, que son entêtement, son amour de l'imprévu, sa mauvaise étoile ont placé dans des conditions d'existence aventureuses : un nau-

---

1. Nom que se donnaient les bandes de brigands qui infestaient la France au XIVe siècle.

fragé, Robinson ou la Suzanne de Giraudoux, un évadé, Fabrice, Papillon, Albertine Sarrazin qui choisit les hasards de la « cavale ».

Cette forme d'aventure peut enfin être idéologique : en scène, un conspirateur impénitent, dans le genre du cardinal de Retz, un révolté mû par le désir d'une vengeance ou d'une revanche : Monte-Cristo, Moravagine, Ravaillac, Caserio, Bonnot et sa bande, ou un idéaliste, comme les héros de *La condition humaine*. Réel ou imaginaire, ce genre d'aventurier est le héros typique de la plupart des œuvres livresques ou filmées qui racontent une aventure.

4. *L'aventure jeu*, ni innocente, ni intéressée, elle est le fruit d'un caprice : l'aventurier est alors un instable qui agit gratuitement, parce qu'il porte en lui le démon de l'aventure. Son action est inexplicable : elle n'est pas motivée; il n'en attend aucun profit. Étant irrationnelle, elle n'en est que plus fertile en péripéties et en revirements, offrant au romancier une riche substance. L'antiquité surtout fourmille d'aventuriers de ce modèle : presque tous sont de chimériques bâtisseurs d'empire ou des gâcheurs d'occasion. Leur chute est aussi spectaculaire que fut leur élévation. Quelle aubaine, pour l'auteur, que ces destins en zigzags! Alcibiade, commandant l'expédition de Sicile, mutilant les Hermès la veille du départ, proscrit, puis sauveur d'Athènes, proscrit de nouveau, assassiné par un obscur satrape! Pyrrhus, le chef de guerre, tué au siège d'Argos par une vieille, Alexandre narguant le destin, César dédaignant les avis de ses fidèles aux Ides de Mars, des dictateurs de jadis et d'aujourd'hui, tous incapables de borner leur ambition, voulant toujours aller de l'avant, jusqu'au point de rupture. A un degré plus modeste, celui de l'expérience égotiste, c'est le cas de Julien Sorel, des héros de Cendrars, des réprouvés de Mac Orlan... Tous sont des joueurs qui, pour vivre, ont besoin de jouer un jeu mortel dont la roulette russe pourrait être le symbole. Les joueurs qui se ruinent à Monte-Carlo appartiennent à cette catégorie d'aventuriers : même gagnants, ils doublent la mise.

5. *L'aventure du Superman* : elle est d'invention récente, engendrée par les grandes secousses mondiales, le développement de la criminalité et de l'espionnage. En ce monde incertain où la tranquillité de tous est menacée, il est réconfortant de penser que des défenseurs veillent sur vous, dans l'ombre. Ce sont les aventuriers typiques de notre temps et de la litté-

rature d'aventures actuelle, ceux qu'on pourrait nommer les professionnels de l'aventure : détective, agent secret, espion. Ils offrent à l'admiration de notre temps, dans les multiples et médiocres ouvrages qui les célèbrent, leur haute silhouette, leur visage de prince pirate, leur séduction de play-boy. Intrépides, impassibles, triomphant des périls et parfois des cœurs, ils se tirent avec élégance de pièges inextricables. Certes, ils ne recherchent pas volontairement l'aventure : ce sont des fonctionnaires du risque. Leur fonction les contraint à susciter le danger, par devoir, par conscience professionnelle. Mais, sont-ils emportés par la houle des événements, quelle virtuosité pour terrasser l'adversaire, trouver la ruse ou la complicité qui transforme en succès leur défaite provisoire! Qu'ils se nomment James Bond, le Saint, San Antonio, naguère Rouletabille ou Sherlock Holmes... ils animent romans, films, bandes dessinées, consacrés à des aventures policières ou d'espionnage, unique lecture de la plupart des Français.

6. *L'aventure rêvée* : elle est aux antipodes des autres formes d'aventure, puisqu'elle n'est pas vécue, ignore l'action et se déroule dans le monde des chimères. Point nocive, en apparence, elle ne sécrète pas le péril. Mais elle est à sa manière hasardeuse pour l'aventurier qu'elle peut conduire à l'angoisse, au désespoir, à la folie. Matamore [1], qui vit dans un univers loufoquement héroïque, est un personnage caricatural. A un niveau humain et sérieux, on trouve le poète incapable de vivre comme les autres, à la recherche de paradis artificiels ou de réalités transcendantales : Baudelaire, Rimbaud, les surréalistes, Henri Michaux... Découvreur à sa manière et risque-tout, cet aventurier s'expose à tous les périls de la découverte. Il peut perdre, dans l'aventure, son équilibre psychique, sa santé, sa réputation, sa situation sociale. C'est aussi le cas du mystique qui parie sur Dieu et sur le bonheur éternel. Perceval et Galaad — héros de la légende médiévale du Saint-Graal [2] — préfigurent cette forme sublime de l'aventure. Car il est possible de courir l'aventure, en demeurant dans la cellule d'un cou-

---

1. Personnage de la comédie espagnole, qui se vantait à tout propos de ses exploits contre les Maures.
2. Le Saint-Graal est un vase d'émeraude dans lequel, selon la légende, aurait été recueilli le sang du Christ lorsqu'il eut le flanc percé par un centurion. Certains romans de *La table ronde* racontent la quête du Graal par les chevaliers du roi Arthur.

vent, comme Rancé [1] ou sainte Thérèse, si l'on s'abîme dans le gouffre vertigineux de la contemplation divine. Évidemment, cette forme suprême de l'esprit d'aventure n'est point matière à romans populaires. Son expression littéraire, réduite, est de haute qualité : la quête du Graal, la vie de Rancé, Port-Royal, des confidences de poètes, de mystiques, des manifestes, des œuvres poétiques... Nous voilà bien loin de la série *Le Masque* et des « comics ». N'est-ce pas une preuve de l'extraordinaire richesse du thème de l'aventure ?

GENRES

Les livres d'aventures sont de valeur très inégale : des *Trappeurs de l'Arkansas* (G. Aimard) à *La condition humaine* de Malraux. Certains sont destinés à des bibliothèques enfantines, d'autres figurent dans des anthologies, sont inscrits aux programmes des concours universitaires. De grands romanciers, des poètes, des dramaturges illustres ont sacrifié à cette forme de littérature à vocation populaire. Balzac en écrivant *L'histoire des treize* ou *Les chouans*, Hugo *Les misérables*, Mérimée *Carmen*, Walter Scott *Ivanhoé*, Tolstoï, *La guerre et la paix*... De nos jours, Montherlant, Claudel dans leur théâtre, Malraux, Hemingway, Cendrars, Pierre Mac Orlan, Joseph Kessel, Pasternak, et bien d'autres dans leurs romans, leurs nouvelles... Mais le thème de l'aventure tente surtout les auteurs féconds, ceux qui préfèrent l'abondance à la densité, la vie à la réflexion, Dumas et ses mousquetaires, Eugène Sue et ses apaches, Féval et son Lagardère, Benoît et ses héroïnes mystérieuses ou fatales, Boussenard [2] et ses voyageurs... Ils ont créé cet univers romanesque qu'exploitent aujourd'hui les « comics » et les romans de collection.

Pourtant tous les genres littéraires ont accueilli l'aventure et les aventuriers. Même l'épopée, quand Ulysse, battu par les tempêtes ou déjouant les noirs complots des prétendants n'est plus seulement le protégé d'Athéna, mais un mortel éprouvé, — l'Ode, avec Pindare, chantant l'expédition des Argonautes —, la tragédie, lorsque le héros Œdipe tente de découvrir l'affreux secret de sa naissance, ou que Nicomède se débat au milieu des

---

1. Réformateur de l'ordre des trappistes au XVIIᵉ siècle.
2. Romancier et journaliste (1847-1910) qui publia de nombreux récits d'aventures.

complots de Prusias, des Romains, d'Arsinoé, la comédie, contant les illusions comiques de Matamore... Faisons le point à notre époque qui, sauf quelques exceptions fameuses, réserve ce thème, à l'image, à la nouvelle, au roman.

— Sous sa forme la plus sommaire, l'aventure est narrée en *bandes dessinées* qu'éclairent de brèves légendes : le Fantôme, Tintin, Tarzan, Astérix, Zorro... des images soignées, de la fantaisie, des invraisemblances admises comme des postulats, une pointe d'humour [1]...

— Viennent ensuite *les romans d'action*, romans policiers, romans d'espionnage qu'éditent des maisons spécialisées : Plon, Denoël, Gallimard, Les Presses de la Cité, Fayard, Le Masque. L'aventure est courue à l'étranger, en pays exotique, mais aussi dans les sociétés les plus policées, dont elle révèle les dessous putrides. Elle se résout en un duel opposant un défenseur de l'ordre ou des intérêts nationaux à des irréguliers, vivant dans l'ombre : gangsters formés en gang, révolté solitaire, agents secrets, venus généralement de l'Est, trafiquants, savant dévoyé... Selon son caprice, l'auteur oriente notre sympathie vers le protecteur ou l'agresseur de la société.

— *Les romans historiques* sont des romans d'aventure dans la mesure où ils déforment la vérité événementielle ou psychologique pour la rendre plus expressive. Ils mettent en scène un ou plusieurs héros, sans peur, sinon sans reproches, bretteurs, conspirateurs, familiers ou ennemis des Grands. Au XIXᵉ siècle, ils narrèrent des histoires de pirates, des aventures de cape et d'épée... aujourd'hui encore, avec les œuvres denses de Pierre Mac Orlan, de t'Serstevens, avec les ouvrages diffus de Robert Gaillard, de Cecil Saint-Laurent. Parfois, le livre recrée la réalité historique avec une telle puissance que l'aventure semble jaillir de l'événement : dans *L'œuvre au noir* (Marguerite Yourcenar), un étrange prêtre flamand, mêlé aux premières convulsions de la Réforme, devient alchimiste et incroyant ; *La joie des pauvres* (Zoé Oldenbourg) évoque la foi illuminée et l'atroce calvaire des pèlerins en Terre Sainte.

— *Le roman exotique* n'existe plus guère que sous la forme du western, produit américain. Depuis *Le dernier des Mohicans* (1826) qui en fut l'archétype, le genre a parcouru trois

---

1. Cf. plus loin l'article de Gabrielle Rolin : *les Croisés du XXᵉ siècle*, p. 158,

stades : au début, il déplore la disparition des Peaux-Rouges, massacrés par les Yankees. Les héros sympathiques sont invariablement un chef indien au grand cœur, ami d'un chasseur blanc, deux réprouvés, hostiles à la civilisation, qui défendent leurs bisons et leurs forêts vierges contre les destructions des squatters. Puis, inspirés par les luttes contre les sachems Cochise et Géronimo, les westerns contèrent l'épopée des cavaliers américains aux prises avec les féroces et perfides Apaches. Le personnage accablé devint l'Indien, voleur de bétail et preneur de scalp, et aussi le bandit aux prises avec le shérif. Force restant évidemment au droit et à la loi. Actuellement, le nouveau western réhabilite l'homme rouge aux dépens du blanc qui a mauvaise conscience. L'Américain, excédé de la civilisation, regrette la vie près de la nature que menaient autrefois ses ancêtres, l'Indien affirme sa personnalité et le refus de la civilisation américaine : il revendique avec fierté son passé national : *Little big Man* [1], aussi bon Indien que blanc authentique.

— *Le reportage ou le récit de voyage*, quant à lui, est fertile en péripéties et en périls (sur la guerre en Indochine, au Biafra, au Proche-Orient, sur les maquis en Amérique du Sud, le trafic de la drogue, des armes...).

PROCÉDÉS

En dépit de ses formes multiples, le roman d'aventures est soumis à plusieurs principes, imposés par sa nature et ses fins. S'adressant moins à l'intelligence du lecteur qu'à sa capacité émotionnelle, à son imagination, il ne cherche pas la profondeur, il ne comporte pas de leçon. Les manifestations extérieures de la vie : le mouvement, le geste, l'action et ses résultats, surtout, l'intéressent. C'est pour cette raison qu'il se transpose aisément en images.

Aussi réduit-il à peu de chose certains procédés habituels au roman : *le cadre* est évoqué juste dans la mesure où il soutient l'acte ou en fait ressortir la singularité. Peu de descriptions, toujours justifiées par la nécessité de peindre un décor, de créer un climat. Pourtant la tentation est grande

—————

1. Film de 1970 d'Arthur Penn, présentant un Blanc sympathique aux Indiens, œuvre à la fois satirique et ironique d'après le roman de Thomas Berger.

de décrire, puisque le roman d'aventures se passe souvent dans des pays exotiques ou dans des milieux hauts en couleurs.

— *La psychologie des acteurs :* ce sont des êtres qui agissent, par la force plus que par la ruse, épaules carrées, mus par des mobiles élémentaires et jamais remis en cause. Pas de crise de conscience chez ces bagarreurs qui luttent pour leur vie. Tout au plus se laissent-ils entraîner passagèrement — dans quelque intrigue amoureuse avec la belle Indienne ou l'espionne capiteuse. Prétexte moins à analyses qu'à évocations érotiques, la sensualité reposant un instant d'une tension dramatique lassante. Le repos du guerrier...

— *La crédibilité :* pour que les aventures produisent sur le lecteur un effet de choc, elles doivent être excessives, incessantes. Pas de temps mort, rien ne paraît impossible. Le héros n'a jamais de cesse ; il ignore la crainte, la fatigue, le découragement ; toujours allant, toujours vainqueur. La vraisemblance en pâtit ; mais le lecteur, en ouvrant le livre, en accepte les conventions. Indulgence plénière pour l'auteur et son héros favori.

En revanche, ce genre respecte plusieurs principes : il existe un art du récit d'aventures :

— *Le démarrage* doit être rapide. Pas de mise en place : le lecteur est projeté immédiatement au cœur de l'action, du danger. Un coup de feu, une silhouette s'écroule. Il est bon qu'il soit déconcerté, qu'il ignore, le temps d'un ou deux chapitres, la nature de l'intrigue, la vérité sur les personnages. Sa curiosité sera plus longtemps tenue en éveil.

— *La cadence du rythme* est une affaire vitale : le récit n'est qu'un drame, c'est-à-dire une action. Tout ce qui ralentit ou immobilise le défilé des épisodes est néfaste : descriptions, analyses psychologiques, digressions, dissertations, même duos d'amour. Ce sont là zones stagnantes où l'intérêt risque de s'embourber. Il faut multiplier les péripéties, les retournements de situation, les gags : les personnages ne doivent jamais s'essouffler pour que le lecteur soit maintenu en haleine.

— Les coups de théâtre se multipliant, *le dénouement doit rester imprévisible* jusqu'à la dernière page. Il est bon que l'ouvrage se termine par un événement inattendu qui éclate in extremis, laissant le lecteur sur une impression d'incertitude, d'effroi, d'insatisfaction.

— *La narration* doit être sobre, nette, lestement menée. En général, le fait s'exprime en phrases brèves, avec des verbes d'action qui donnent au récit une allure précipitée, presque sautillante. Quant aux acteurs, ils emploient une langue drue, imagée, volontiers argotique. Évidemment de tels procédés ne valent que pour les livres d'aventures réservés à la consommation courante. Les chefs-d'œuvre qui ne sont romans d'aventures qu'incidemment, parce que leurs personnages sont lancés dans une entreprise sans retour, usent de toute la gamme des moyens et des artifices qu'emploie le roman traditionnel.

PRESTIGE ET PÉRILS

En 1970, paraît-il, deux millions de Français ont lu des romans d'aventure. Pourquoi cette faveur ? Paresse intellectuelle, refus de s'intéresser aux œuvres denses, exigeant un effort de réflexion ? Besoin de trouver un délassement dans une lecture sans problème ? Certes. Mais il est d'autres explications, plus inquiétantes.

Les « citoyens de l'âge bourgeois, écrit Edgar Morin[1], vivent une vie dont la largeur est réduite à sa bande centrale, selon l'étonnante formule de Hans Freyer... Tout le reste, au-dessus et en dessous, est spectacle et rêve... la grande politique, l'activité créatrice, la violence, la liberté, le crime, la démesure. Et la virulence agressive des bandes marginales semble s'accroître tandis que s'accroît, dans la bande centrale, la sécurité sociale, l'État providence, le confort paisible, le bien-être. »

Le prestige dont jouit actuellement le thème de l'aventure (dispensé par le livre, le journal, le film) aurait donc des racines sociologiques.

L'homme moderne a soif de liberté, non point d'une liberté politique dont il ne perçoit pas les effets, les bienfaits, mais d'une liberté anthropologique qui tient à sa nature profonde. « Toute vraie liberté est noire » écrit Antonin Artaud[2]. Être libre, pleinement, ce n'est point exercer son droit de vote, de parole, d'association, c'est accomplir tout ce que nous dicte notre instinct. Car il existe en nous un fonds de violence, de dépravation d'autant plus virulent qu'il est réprimé par les convenances, la loi, la vie en société. Sadiques, meurtriers « sont la personnification d'instincts simplement réprimés

---

1. E. Morin, *L'esprit du temps*, Grasset, 1963, p. 155.
2. *Le théâtre et son double*.

par les autres hommes, l'incarnation de leurs meurtres imaginaires, de leurs violences rêvées ». Ce jugement pessimiste est de Robert Musil [1]. Il affirme que l'être normal porte en son subconscient la même puissance de brutalité et d'érotisme que son lointain ancêtre, à l'âge des cavernes. Nous sommes tous des assassins.

Possible, car, dans la presque totalité des cas, l'homme civilisé se maîtrise, la peur du gendarme et de l'opinion publique aidant. Mais il lui faut se défouler, exorciser cette force mauvaise, toujours prête à exploser. Une guerre, une émeute suffisent à libérer ce potentiel de bestialité, de lubricité. En temps ordinaire, il existe un recours qui ne tombe pas sous le coup de la répression : le livre ou le film d'aventures qui nous permettent d'extérioriser notre violence — et aussi notre lascivité, puisqu'ils nous fournissent à profusion coups, bagarres, batailles, scènes sensuelles, scènes de torture, scènes de massacres... « On fait passivement l'expérience de la guerre. On fait passivement l'expérience du meurtre, on fait inoffensivement l'expérience de la mort [2]. »

Cette expérience est en effet à l'abri des peines, des dangers. Enfant ou adulte, intellectuel ou manuel, le lecteur s'incarne dans le héros cogneur, séducteur, vainqueur qui, tel le héros cornélien — il appartient, lui, à un ordre supérieur —, vit au-dessus des lois, de la morale, se rit des puissants et du surnaturel. Il n'y a ni prison durable, ni enfer pour l'aventurier de nos rêves. Tout au plus quelques horions, quelques trahisons amoureuses. Son destin semble exaltant parce qu'il est le sort d'un homme libre, libéré.

Et aussi d'un être menacé. Nous savourons cette insécurité permanente où il se complaît, au point de la provoquer quand il est hors de péril. Nous nous l'approprions. C'est encore pour le lecteur une manière d'être libre. « L'homme libre est nécessairement sans sécurité », prétend Érich Fromm. Effectivement. Notre vie quotidienne s'écoule, sans heurt, sans inquiétude majeure. Les structures légales et sociales nous protègent. Les risques d'agression, d'imprévu sont minces. Cette sécurité, inconsciemment, nous est pénible, elle sécrète la routine, l'ennui. Nous rêvons d'anomalies qui en rompraient la permanence. La plus insignifiante manifestation, le moindre incident au

---

1. *L'homme sans qualités*, II, p. 445.
2. E. Morin, *op. cité*, p. 152.

cours d'une randonnée sont accueillis avec une satisfaction inavouée.

Et voilà un autre bienfait que prodigue le roman ou le film d'aventures. Comme nous nous identifions aux personnages, nous partageons, en imagination, leur vie dangereuse. Les lendemains ne sont plus assurés : ils n'en paraissent que plus tentants, même s'ils déchantent. L'existence réelle, pendant la durée de la lecture ou de la représentation est oubliée, avec sa médiocrité, ses grisailles. Une vie onirique la remplace, riche en émotions, en reflets brillants.

Ainsi s'explique la faveur actuelle de l'aventure contée ou filmée. Elle défoule le lecteur, le spectateur, elle l'entraîne dans le monde consolant du rêve. Double fonction hautement estimable qui le délivre à peu de frais de sa perversité, qui le distrait de sa détresse morale. Peut-on parler de catharsis [1], de divertissement ? Maigret sur la piste du criminel, Zorro faisant tournoyer son lasso tiendraient-ils le rôle du héros tragique ? Leurs actes auraient-ils la vertu de ces activités semeuses d'oubli que critique Pascal ?

Rien n'est moins certain. Si le thème de l'aventure a une action bénéfique, il agit comme un boomerang. Gare au choc en retour. De plus en plus les romans et les films qui l'utilisent cherchent à ranimer l'intérêt d'un public blasé en multipliant les horreurs, les atrocités, l'étalage du sang et de la dépravation. Excès préjudiciables aux consommateurs, surtout d'âge tendre. On apprend à mépriser le calme, l'indulgence, la générosité. On se persuade que la raison du plus fort l'emporte, que le coup de poing ou de revolver est plus efficace que la discussion. Le sens de la pitié s'altère et aussi le sentiment de la dignité humaine. On est heureux de voir piétiner les vaincus. Loin de nous purifier de nos passions mauvaises, l'aventure lue ou contemplée, quand elle ne garde pas la mesure, les réveille, les avive. Elle persuade les esprits faibles que la fiction peut devenir réalité. Et, une fois la lecture terminée ou le rideau baissé, c'en est fini de l'envoûtement : on jette le livre d'aventure, on oublie le film qui a ensorcelé. Test sans appel : l'œuvre ne laisse guère de souvenir, mais la leçon dangereuse demeure dans notre subconscient.

---

1. Purification de l'âme par la représentation artistique des passions (théorie d'Aristote).

CHAPITRE II

ANTIQUITÉ :
DES CARTHAGINOIS AU RUBICON

L'homme antique a l'esprit d'aventure : il n'est point un sédentaire; ses goûts, ses conditions d'existence l'obligent à d'incessants départs, pour un temps, pour toujours. Socrate, qui se vante d'être sorti deux fois seulement d'Athènes, est une exception. Les autres abandonnent volontiers leurs pénates. Or, le péril commence dès la porte des remparts franchie : déjà les routes du monde connu (le bassin occidental de la Méditerranée) sont dangereuses, infestées de brigands, d'aubergistes larrons. Sur les mers pullulent les pirates. Aux lisières, on rencontre des peuplades farouches, qui vivent dans les déserts, les forêts, les marécages, les steppes, en des pays calcinés par le soleil, noyés dans la brume, la pluie, ou la neige. Plus tard, la Paix Romaine les domptera quelque temps. Nomades de Libye, Celtes et Germains d'Europe, Scythes du Pont-Euxin [1] font mauvais accueil à l'étranger, que parfois ils sacrifient à

---

1. Ancien nom de la mer Noire.

leurs dieux. Et, si le voyageur, le commerçant, le marin, le soldat pousse plus loin, il rencontre l'Océan, ses horreurs multiformes, ses monstres. S'expatrier volontairement ou non, c'est, dans l'Antiquité, courir l'aventure, inéluctablement.

Or, plusieurs raisons, qui souvent interfèrent, contraignent le citoyen antique à partir. Raisons démographiques et commerciales : les villes, surpeuplées, envoient régulièrement l'excédent de leur population, sous la conduite d'un intrépide, fonder colonies et comptoirs. Moyen efficace pour se débarrasser des têtes chaudes et s'assurer des débouchés commerciaux. Ainsi le Phocéen Euxène, au VIIe siècle av. J.-C., fonde Massilia, la future Marseille. Sans parler du climat d'insécurité permanent qui règne dans les cités : les partis politiques se déchirent, les vaincus deviennent des bannis. Et puis, il y a les guerres continuelles entre compatriotes, contre le Barbare, les expéditions en pays lointain qui souvent tournent mal : Cyrus disparaît en Bactriane [1] avec son armée.

Tous les hommes politiques sont des chefs de guerre, des conquérants et ils ont une âme d'aventurier. Quitte ou double. Quand ils s'engagent, ils semblent couper les ponts derrière eux : plus de recours en cas d'échec. Au moment de livrer un combat décisif, Catilina descend de cheval, met à pied sa cavalerie : plus moyen de fuir en cas de défaite. César s'écrie : « Alea jacta est » (« Le sort en est jeté »), en franchissant le Rubicon [2]. Le chef antique met une sorte de coquetterie à défier ou à forcer le destin. Attitude spécifique de l'aventurier. L'avenir seul — l'aventure — lui importe. Ajoutons enfin la curiosité, très vive chez l'homme antique, impatient de sortir de limites étriquées. Le monde inconnu est sans mesure avec l'étroit espace qu'il connaît. Et la tradition, l'imagination, les récits le parent d'un effrayant et attrayant prestige.

Faut-il s'étonner que la littérature antique foisonne de récits d'aventures? Ils affleurent même dans les ouvrages les plus sérieux, tant l'aventure fait partie intégrante de la vie antique : œuvres historiques (l'*Enquête* d'Hérodote, par exemple),

---

1. Au bord de l'Afghanistan actuel.
2. Petite rivière qui séparait l'Italie de la Gaule cisalpine. Le sénat, pour assurer Rome contre une tentative de gouvernement militaire, avait déclaré traître à la patrie quiconque franchirait cette rivière avec des forces armées. César méprisa cette défense et prit le pouvoir. De là, aujourd'hui, l'expression « franchir le Rubicon » pour exprimer une décision hardie et irréversible.

géographiques (Strabon), narrations d'un voyage réel (le Journal de bord d'Hannon[1]), fantastique (l'*Histoire véritable* de Lucien), épique (l'*Odyssée*). L'auteur antique aime les épisodes mouvementés qui mettent en valeur les vertus humaines : il interrompt avec plaisir son propos pour les conter. L'austère Tacite lui-même ne manque jamais une occasion de signaler le fait exceptionnel qu'accomplit, à ses risques et périls, tel de ses personnages.

L'aventure littéraire a pour décor la plupart du temps, la mer (les grands peuples d'autrefois, Crétois, Phéniciens, Grecs, Carthaginois eurent une vocation maritime), la terre (Hérodote, Xénophon, César, Tite-Live, Tacite... nous entraînent à la suite de leurs héros dans tout l'univers connu. Alexandre combattit sur l'Indus, franchit les passes du Khaïber, parvint au Turkestan...), les airs, quand Ovide célèbre le mythe d'Icare ou si le fantaisiste Lucien promène ses aventuriers à travers l'espace sidéral. La cueillette pourrait être abondante et variée. Limitons-nous à quelques textes typiques.

UNE NAVIGATION AVENTUREUSE

A la fin du VIe siècle avant J.-C., les Carthaginois chargèrent le marin Hannon d'explorer les côtes de l'Afrique et d'y fonder des comptoirs. Hannon partit à la tête d'une flotte de soixante vaisseaux, portant chacun cinquante rameurs et emmenant en tout trente mille personnes, hommes et femmes, ainsi que des vivres et des marchandises.

Deux jours après avoir dépassé les Colonnes d'Hercule, nous avons fondé, sur une colline dominant une vaste plaine, une ville que nous appelâmes Thymatérion. Après quoi, nous avons continué vers l'ouest jusqu'au cap Solente, couvert de forêts épaisses.

(*Le narrateur poursuit son récit: sa flotte longe les rivages du Maroc, de Mauritanie, du Sénégal et parvient, sans doute, dans le golfe de Guinée.*)

---

1. Navigateur carthaginois du VIe siècle av. J.-C. qui longea les côtes atlantiques du continent africain.

Après avoir pendant deux jours côtoyé des montagnes, nous arrivâmes dans un golfe immense dont les rives étaient très plates et où, la nuit, nous vîmes briller des feux qui changeaient constamment de place et d'éclat. Nous fîmes provision d'eau et nous repartîmes. Nous navigâmes pendant cinq jours le long des côtes et nous arrivâmes dans un autre golfe, très grand, que les interprètes dirent se nommer la Corne du Couchant. Une grande île se trouvait dans ce golfe. Dans cette île, il y avait un lac salé et, sur ce lac, un îlot. Nous débarquâmes dans l'île en question qui était couverte de forêts. Mais, pendant la nuit, nous avons aperçu de grands feux et entendu un vacarme assourdissant de timbales, de tambours et de cris, à tel point que nous prîmes peur et quittâmes l'île rapidement.

Nous fîmes voile le plus vite possible, et longeâmes une côte torride d'où nous arrivaient des parfums merveilleux et où des torrents de feu coulaient vers la mer. La chaleur rendait la terre inabordable.

Alors la peur nous saisit de nouveau et nous continuâmes à naviguer à toutes rames, pendant quatre jours. La dernière nuit, nous aperçûmes une terre couverte de flammes au centre de laquelle s'élevait une colonne de feu si haute qu'elle semblait toucher le ciel. C'était un volcan qu'on appelle, dit-on, le Théon Ochima, le Char des Dieux[1].

J. Lacarrière, *Hérodote et la découverte de la terre*, Édit. Arthaud, 1958.

UNE AVENTURE MYSTIQUE

Moïse a été envoyé par Dieu en Égypte pour délivrer les Israélites de leur esclavage. Le Pharaon refuse. Mais comme le Tout-Puissant inflige à son pays dix fléaux, il finit par céder et permet à Moïse d'emmener le peuple d'Israël hors de ses terres. Puis il se ravise et se lance à leur poursuite.

---

1. Peut-être, un volcan du Cameroun.

Lorsque Pharaon était déjà proche, les enfants d'Israël levant les yeux et ayant aperçu les Égyptiens derrière eux, furent saisis d'une grande crainte. Ils crièrent au Seigneur, et ils dirent à Moïse : Peut-être qu'il n'y a point de sépulcres en Égypte; c'est pour cela que vous nous avez amenés ici, afin que nous mourions dans la solitude. Quel dessein aviez-vous quand vous nous avez fait sortir d'Égypte? N'était-ce pas là ce que nous vous disions étant encore en Égypte : Retirez-vous de nous afin que nous servions les Égyptiens. Car il valait beaucoup mieux que nous fussions leurs esclaves, que de venir mourir dans ce désert. Moïse répondit au peuple : Ne craignez rien, demeurez fermes, et considérez les merveilles que Dieu va faire aujourd'hui : car ces Égyptiens que vous voyez devant vous vont disparaître, et vous ne les verrez plus jamais. Le Seigneur combattra pour vous, et vous, demeurez calmes. (...)

Alors l'ange de Dieu qui marchait devant le camp des Israélites alla derrière eux; et en même temps la colonne de nuée quittant la tête du peuple, se mit aussitôt derrière, entre le camp des Égyptiens et le camp d'Israël; et la nuée était ténébreuse d'une part, et de l'autre elle éclairait la nuit, en sorte que les deux armées ne purent s'approcher dans tout le temps de la nuit. Moïse ayant étendu sa main sur la mer, le Seigneur l'entrouvrit, en faisant souffler un vent violent et brûlant pendant toute la nuit; et il en dessécha le fond, et l'eau fut divisée en deux. Les enfants d'Israël marchèrent à sec au milieu de la mer, ayant les eaux à droite et à gauche, qui leur tenait lieu de mur. Et les Égyptiens marchant après eux, se mirent à les poursuivre au milieu de la mer, avec toute la cavalerie de Pharaon, ses chars et ses chevaux. Mais lorsque la veille du matin fut venue, le Seigneur ayant regardé le camp des Égyptiens au travers de la colonne de feu et de la nuée, jeta l'épouvante parmi eux; il renversa les roues des chars, qui n'avançaient plus qu'à grand-peine. Alors les Égyptiens s'entredirent : Fuyons les Israélites, parce que le Seigneur combat pour eux contre nous. En même temps le Seigneur dit à Moïse : Étendez votre main sur la mer, afin que les eaux retournent sur les Égyptiens, sur leurs chars et sur leur cavalerie. Moïse étendit donc la main sur la mer; et dès la pointe du jour, elle retourna au même lieu où elle était auparavant. Ainsi lorsque les Égyptiens s'enfuyaient, les eaux vinrent au-devant d'eux, et le Seigneur les enveloppa au milieu des flots.

La Bible (L'exode, chap. XIV).

LE PIMENT DE L'AVENTURE

Ulysse et son escadre sont parvenus sur les côtes de la Cyclopie.

Aussitôt qu'apparaît, dans son berceau de brume, l'Aurore aux doigts de roses, j'appelle tout le monde à l'assemblée et dis :

ULYSSE — Fidèles équipages, le gros de notre flotte va demeurer ici; mais je vais prendre, moi, mon navire et mes hommes; je veux tâter ces gens et voir ce qu'ils sont, des bandits sans justice, un peuple de sauvages ou des gens accueillants qui respectent les dieux. Je dis et m'embarquant, j'ordonne à l'équipage d'embarquer à son tour et de larguer l'amarre. Mes gens sautent à bord et vont s'asseoir aux bancs, puis, chacun à sa place, la rame bat le flot qui blanchit sous les coups.

Nous eûmes vite atteint l'endroit, d'ailleurs tout proche, où, sur le premier cap et dominant la mer, s'offrait à nos regards une haute caverne, ombragée de lauriers. Elle servait d'étable à de nombreux troupeaux de brebis et de chèvres, avec sa cour profonde, dont l'enceinte était faite de gros blocs arrachés, de chênes à panache et de pins au long fût. C'est là que notre monstre humain avait son gîte ; c'est là qu'il vivait seul, à paître ses troupeaux, ne fréquentant personne, mais toujours à l'écart et ne pensant qu'au crime.

(*Ulysse débarque et part à la découverte avec douze compagnons éprouvés.*)

Rapidement, nous arrivons à la caverne : il n'était pas chez lui; il était au pacage avec ses gras moutons. Nous entrons dans la grotte. (...) Mais aussitôt entrés, mes gens n'ont de paroles que pour me supplier de prendre les fromages, les agneaux, de vider les enclos et de nous en aller en courant, au croiseur, retrouver l'onde amère. C'est moi qui refusai; ah! qu'il eût mieux valu!... Mais je voulais le voir et savoir les présents qu'il ferait, cet hôte ! Il n'allait se montrer à mes gens que trop tôt, et non pour leur plaisir... Nous restons. Nous faisons du feu, un sacrifice, et, nous étant servis, nous mangeons des fromages. Puis, dans la grotte assis, nous restons à l'attendre.

> Homère, *Odyssée*, chant IX, vers 170 à 192 et 216 à 233. Trad. Victor Bérard, Belles Lettres.

Ulysse, personnage bivalent dans l'*Odyssée*. Souvent héros : protégé d'Athéna, doué d'une ruse, d'une énergie, d'une endurance surhumaines qui lui permettent de survivre alors que tous les siens ont péri. Il relève du mythe et du merveilleux. Mais il appartient aussi au monde humain. De l'homme, il a la curiosité, le goût du risque : c'est un aventurier.

— Remarquer la gratuité de cette exploration périlleuse : seul le désir de connaître, non la nécessité, l'anime. Il veut procéder à une enquête sociologique et ethnologique. Prescience du danger : « des bandits... des gens accueillants. » Il joue à quitte ou double.

— Intérêt de l'aventure savamment ménagé : d'abord un spectacle bucolique, une vision à la Théocrite; puis anticipation : Ulysse renonce à l'effet de surprise; il annonce et dénonce le monstre. Dans l'antre horrible, son obstination : aventurier modèle, il n'admet pas la dérobade.

— Animation du récit : l'histoire contée, deux réflexions du narrateur inspirées par l'indignation et par le regret, une déclaration autoritaire, autant d'apartés qui se mêlent à elle. Allure saccadée du texte qui semble aller toujours de l'avant, par petites secousses.

*S'expatrier c'est, dans l'Antiquité, courir inéluctablement
l'aventure (Vase grec, British Muséum).*

● **CHAPITRE III**

MOYEN AGE :

A LA QUÊTE DU GRAAL, A LA CONQUÊTE DU SAINT-SÉPULCRE

Période propice à l'aventure, s'il en fut. Pour des raisons politiques, religieuses, psychologiques. Les structures du monde médiéval sont assez lâches pour permettre la vie en marge : le sentiment national s'éveille à peine; le pouvoir central, en France et ailleurs, manque d'autorité. Chaque pays se morcelle en fiefs, en villes, en provinces, qui défendent jalousement leurs franchises. Dix cités alsaciennes, par exemple, constituent une sorte de confédération, la Décapole. La loi ne s'oppose guère à l'aventure, les législations — droit coutumier, droit écrit — étant compliquées à l'extrême. Seule l'Église maintient en Europe occidentale un semblant d'unité et d'ordre, imposant la trêve de Dieu, protégeant la veuve et l'orphelin, faisant peser sur la tête des puissants, en cas de forfaiture, la terrible menace de l'excommunication.

De plus, les guerres continuelles entre barons, entre États (à deux reprises, sous Philippe Auguste et Saint Louis d'abord,

puis de 1337 à 1453, la France et l'Angleterre furent aux prises)
entretiennent une situation anarchique. L'homme du Moyen
Age, d'ailleurs, n'est pas un sédentaire. A l'exception des
bourgeois qui ont pignon sur rue, des vavasseurs, petits pro-
priétaires terriens et des manants — étymologiquement, ceux qui
demeurent — attachés à leur champ, les autres constituent une
population sans amarre, disponible pour l'aventure : seigneurs qui
s'ennuient dans leurs donjons, rêvant de combats, de profits
et de gloire, compagnons du tour de France [1], surtout l'immense masse des gens sans profession ni demeure, toujours
sur les routes, à l'affût d'une occasion propice.

C'est pourquoi, les forts, les audacieux, les êtres sans scrupules
osent tenter leur chance. Courant quelquefois des aventures
inouïes, ils se fraient un chemin dans cette société inorganique,
mal protégée. Deux aventuriers normands, Tancrède et Bohé-
mond fondent le royaume des Deux-Siciles, avant de devenir
princes d'Antioche. Le duc de Bourgogne, Charles le Téméraire,
rêve de reconstituer l'antique Lotharingie et défie son suzerain :
il le tient même captif quelque temps à Péronne. Gauthier
sans Avoir, un simple chevalier, entraîne des milliers de pèlerins en Anatolie. D'autres se font brigands, écorcheurs, et le
connétable Du Guesclin traite avec eux d'égal à égal. En 1429,
le royaume est perdu : une bergère lorraine survient miraculeusement et provoque un extraordinaire sursaut patriotique.
En aucune période de notre histoire, l'aventurier n'eut le champ
aussi libre, l'avenir aussi prometteur.

La foi pour sa part contribue à exalter l'esprit d'aventure :
les Infidèles, c'est-à-dire les Musulmans, sont maîtres du Saint-
Sépulcre [2]; depuis 710, ils occupent l'Espagne, poussant une
pointe, en 732, jusqu'à Poitiers. Résultat : sept siècles d'affilée,
les chrétiens d'Occident s'aventurent en terres lointaines et
périlleuses, franchissent les Pyrénées ou le Bosphore : tantôt
ils partent en pèlerinage pour Saint-Jacques-de-Compostelle,
pour Jérusalem, la ville sainte. Plus souvent, ils s'en vont combattre le Sarrasin ou le Turc. Charlemagne échoue devant
Pampelune et une défaite à Roncevaux, sur le chemin du retour,
inspire un célèbre poème épique. Pierre l'Ermite en 1090 prêche

---

1. Artisans qui jusqu'au XIXᵉ siècle parcouraient les villes de France pour
se perfectionner dans leur art.
2. Édifice construit au IVᵉ siècle à Jérusalem, et qui contient le tombeau
du Christ.

la première croisade, celle des pauvres gens. Les barons plus
tard prennent d'assaut Jérusalem. En 1270, Saint Louis, débarqué
en Tunisie, meurt à Byrsa; ainsi se termine l'aventureuse épopée
des croisades. En Espagne, la ville maure de Grenade résistera
jusqu'en 1472. Auparavant, des générations de pèlerins ou
de combattants seront parties, à pied ou sur une nef, pour
l'aventure, la croix cousue à leur cape.

La curiosité, l'esprit d'investigation sont aussi vifs que le
sentiment religieux. Les invasions barbares des ive et ve siècles,
détruisant la civilisation romaine, ont provoqué un recul des
connaissances. L'homme du Moyen Age doit redécouvrir
l'héritage perdu, explorer des voies nouvelles. Or, là encore,
son audace est sans bornes. Saint Augustin, au ve siècle, puis,
au xiiie siècle saint Thomas d'Aquin modèlent la doctrine
chrétienne. Alchimistes, sorciers, astrologues se livrent à des
études ésotériques qui, souvent, les conduisent au bûcher.
Ils ont la prétention de percer les secrets de la matière, de la
vie, quêtant la pierre philosophale, l'élixir de Jouvence. Les
cathares du Languedoc ont le front de renier l'Église : leur
recherche de la perfection morale les porte vers une forme de
sagesse hautaine, intransigeante qui trouvera son apothéose
dans les flammes de Montségur [1]. Dans un autre ordre, d'intrépides voyageurs affrontent les mers, les continents et les
peuples inconnus. Marco Polo séjourne en Chine, visite le
Japon — les Vikings, sans doute, atteignent le Groenland et
les côtes d'Amérique. Aucun obstacle ne semble infranchis-
sable aux hommes de ce temps. L'enthousiasme laïc ou sacré,
le mépris de la souffrance, de la mort, le désir insatiable de
connaître font se lever des essaims d'aventuriers, vils ou grands,
les uns bandits, les autres rois.

Nombre d'ouvrages littéraires témoignent de ce penchant
pour l'aventure que tous les genres prennent pour thème sauf
le théâtre religieux. Les chroniques, qui relatent les exploits
des croisés à Constantinople, en Égypte, ou les tragiques événements des guerres, les machinations politiques. Les épopées
et surtout les romans bretons ou courtois qui, sur le mode
épique, romanesque, mystique ou burlesque content les aventures de Tristan, des chevaliers de la Table Ronde, de la quête

---

1. Château pyrénéen où se réfugièrent les derniers cathares. Trois cents
d'entre eux furent brûlés vifs au pied des murailles le 16 mars 1244.

du Graal. Des genres mineurs même, telle la chantefable[1] d'*Aucassin et Nicolette* promenant ses héros de Beaucaire au loufoque pays de Turelore. Enfin, des textes techniques, les écrits de Nicolas Flamel, de Raymond Lulle, les récits de Marco Polo. Et certaines branches du *roman de Renart* ne sont-elles pas la parodie d'entreprises réelles ?

● L'aventure chevaleresque

LA FOLIE HÉROÏQUE DE ROLAND

> Vingt mille preux sont cernés dans le défilé de Ronce-vaux par quatre cent mille païens. Lutte inégale. Mais Roland, le chef, prisonnier de son honneur et de son amour pour le risque, refuse d'appeler au secours et veut tenter l'aventure.

Olivier dit : « Les païens ont de grandes forces; il me semble que nos Français sont bien peu. Compagnon Roland, sonnez donc votre cor, Charles l'entendra, et l'armée reviendra. » Roland répond : « J'agirais en fou ! J'en perdrais mon renom en douce France. Je vais aussitôt frapper de grands coups de Durandal; la lame en sera sanglante jusqu'à l'or de la garde. Les païens félons sont venus aux ports pour leur malheur : je vous le garantis, tous sont voués à la mort. » (...)

Quand Roland voit que la bataille aura lieu, il se fait plus fier que lion ou léopard. Il appelle les Français, s'adresse à Olivier : « Sire compagnon, ami, ne dis jamais cela ! L'empereur, qui nous a laissé les Français, a mis à part vingt mille hommes tels qu'à sa connaissance il n'y avait pas parmi eux un seul couard. Pour son seigneur, on doit souffrir de grands maux, endurer de grands froids et de fortes chaleurs, on doit perdre du sang et de la chair. Frappe de ta lance, et moi, de Durandal, ma bonne épée que le roi

---

1. Récit médiéval mêlé de prose récitée et de vers chantés.

me donna. Si je meurs, celui qui l'aura pourra dire
... qu'elle appartint à un noble vassal. »

> *Chanson de Roland*, LXXXIII et
> LXXXVIII. Trad. Gérard Moignet,
> Bibliothèque Bordas, 1969.

● **L'aventure romanesque**

LES AMANTS DE LA FORÊT DU MOROIS

« Le vrai roman français, le roman d'analyse, a toujours
répugné à incorporer l'aventure à ses études humaines.
Il y a eu toute une période de notre histoire littéraire où
le roman d'aventures a été en même temps roman d'amour :
c'est l'époque du roman du cycle breton, et, à la limite,
du *Roman de la rose :* cela n'a rien produit de bon. »
Quelle sévérité de la part de Thibaudet! Relisons une page
du roman de *Tristan et Iseut.*

Jaloux, le roi Marc a livré Yseut aux lépreux.
Tristan la délivre. Quittant la plaine, ils s'enfoncèrent dans la forêt du Morois. Là, dans les grands
bois, Tristan se sent en sûreté comme derrière la
muraille d'un fort château. Quand le soleil pencha,
ils s'arrêtèrent au pied d'un mont; la peur avait
lassé la reine; elle reposa sa tête sur le corps de Tristan et s'endormit. Au matin, Kurwenal[1] déroba à
un forestier son arc et deux flèches bien empennées
et barbelées et les donna à Tristan, le bon archer,
qui surprit un chevreuil et le tua. Kurwenal fit un
amas de branches sèches, battit le fusil, fit jaillir
l'étincelle et alluma un grand feu pour cuire la venai-
son; Tristan coupa des branchages, construisit une
hutte et la recouvrit de feuillée; Iseut la joncha
d'herbes épaisses. Alors, au fond de la forêt sauvage,
commença pour les fugitifs l'âpre vie, aimée pourtant.
Au fond de la forêt sauvage, à grand ahan, comme

---

1. Écuyer de Tristan.

des bêtes traquées, ils errent, et rarement osent revenir le soir au gîte de la veille. Ils ne mangent que la chair des fauves et regrettent le goût du sel. Leurs visages amaigris se font blêmes, leurs vêtements tombent en haillons, déchirés par les ronces. Ils s'aiment, ils ne souffrent pas.

Tristan et Yseut, adapt. Joseph Bédier, 1934, L'édition d'Art.

● **En Mongolie, au Moyen Age**

A LA COUR DU GRAND KHAN [1]

Avec son père Niccolo et son oncle Matteo, Marco Polo, âgé de quinze ans, quitte Venise et, de Constantinople, il chevauche vers l'est, longe la mer Noire, le golfe Persique, la Perse, le Turkestan et, se confiant à sa bonne étoile, arrive à la résidence d'été du Grand Khan (1255). Sa famille entretenait d'excellents rapports avec le despote asiatique qui, précédemment, avait confié à Niccolo et à Matteo un message pour le pape.

Et que vous dirai-je? Quand les deux frères et Marco furent arrivés dans cette grande cité [2], ils s'en allèrent au maître-palais, là où ils trouvèrent le Seigneur [3] avec très grande compagnie de barons. Ils s'agenouillèrent devant lui et s'humilièrent tant qu'ils purent. Le Seigneur les fit relever et les reçut très honorablement; et leur fit très grande joie et grande fête et leur demanda beaucoup de choses de leur santé et de ce qu'ils avaient fait. Ils lui répondirent qu'ils étaient très satisfaits puisqu'ils le retrouvaient sain et dispos. Puis ils lui présentèrent les privilèges et chartes qu'ils avaient reçus du Pape [4] :

1. Nom donné au Moyen Age à l'empereur de Chine et de Mongolie.
2. Kaï-ping-fou, en Mongolie.
3. Khoubilaï Khan.
4. Grégoire X.

desquels il eut grand-liesse. Puis ils lui donnèrent la sainte huile du Sépulcre; et il en fut très joyeux, et il la tint pour très précieuse. Et quand il vit Marco, qui était jeune bachelier [1], il demanda qui il était. — Sire, dit son père Messire Niccolo, il est mon fils et votre homme. — Qu'il soit le bienvenu! dit le Seigneur.

Et pourquoi vous en ferais-je conte? Sachez qu'il y eut à la cour du Seigneur très grande fête pour leur venue. Et ils étaient servis et honorés de tous. Et ils demeurèrent à la cour et avaient honneur sur les autres barons.

> *Le livre de Marco Polo ou le Devisement du Monde*, 1298, mis en français moderne et commenté par A. t'Serstevens, Éd. Le livre club du libraire, s.d.

Un récit parlé, très moderne d'accent : on dirait une déclaration enregistrée au magnétophone. A deux reprises, le narrateur intervient pour réveiller l'intérêt. Impression de vie, de naturel. On imagine la mimique, les gestes, l'enthousiasme du récitant, submergé par ses souvenirs.

Cette allure libre, oratoire du texte tient à la forme même de sa création. Fait prisonnier par les Génois à la bataille navale de Layas, Marco Polo charma les loisirs de sa captivité en dictant la narration de ses voyages à un homme de lettres pisan, Rusta, qui l'écrivit en langue d'oïl (1298).

Noter l'habileté du narrateur à présenter les faits. Il insiste sur la pompe de la réception, sur la chaleur de l'accueil, sur la sollicitude du monarque, relate ses compliments. Il veut persuader le lecteur que les Polo, bien que Vénitiens et chrétiens, ont tenu le premier rang à la cour du Grand Khan. Habileté aussi dans cette manière d'attirer incidemment l'attention sur lui-même : présentation officielle du bachelier au prince, son intronisation comme notable (il a quinze ans et affecte par modestie de parler de lui à la troisième personne). L'orgueil éclate dans les deux phrases finales : les Polo ont accompli un exploit unique, vécu une aventure sans exemple dans l'histoire des hommes.

---

1. Adolescent.

L'esprit d'aventure exalté par la foi : embarquement de Saint Louis pour la Palestine.

● L'aventure et la violence

ENFANTS PERDUS [1]

> Liège s'est révoltée contre son suzerain, Charles le Téméraire, duc de Bourgogne, à l'instigation de Louis XI. Mais attiré dans un guet-apens à Péronne par son ennemi, le roi de France a dû désavouer ses alliés, et accompagner le duc au siège de la ville. La situation des rebelles est désespérée. Les plus hardis d'entre eux, les gens de Franchemont tentent un audacieux coup de main.

Comme ils l'avaient décidé, ces six cents hommes de Franchemont firent une sortie par les brèches de leurs murailles (...) Ils attrapèrent la plupart des sentinelles et les tuèrent; et entre autres moururent trois gentilshommes de la maison du duc de Bourgogne. S'ils avaient marché tout droit, sans se faire entendre, jusqu'à ce qu'ils eussent été là où ils voulaient aller, ils auraient tué sans aucune difficulté ces deux princes, couchés dans leurs lits. Derrière la maison du duc de Bourgogne, il y avait un pavillon, où était logé l'actuel duc d'Alençon et monseigneur de Craon avec lui; les Liégeois s'y arrêtèrent un peu et donnèrent des coups de piques au travers et ils y tuèrent quelque valet de chambre. Le bruit en courut dans l'armée : pour cette raison, quelques hommes s'armèrent, ou tout au moins se mirent debout. Les Liégeois laissèrent ces pavillons et vinrent tout droit aux deux maisons du roi et du duc de Bourgogne. La grange dont j'ai parlé, où le duc avait mis trois cents hommes d'armes, était contiguë à ces deux maisons : ils y perdirent leur temps et donnèrent de grands coups de piques par ces trous qui avaient été faits pour faciliter une sortie. Tous ces gentilshommes s'étaient désarmés, il n'y avait pas deux heures, pour se reposer en vue de l'assaut du lendemain;

---

1. Nom donné jusqu'au XVIIIᵉ siècle à un groupe de combattants se sacrifiant pour une mission désespérée.

ainsi ils les trouvèrent tous désarmés ou peu s'en faut; toutefois quelques-uns avaient jeté sur eux leurs cuirasses, à cause du bruit qu'ils avaient entendu au pavillon de monseigneur d'Alençon, et ils se battaient contre les Liégeois par ces trous et la porte; c'est uniquement à cela que ces deux grands princes durent leur salut, car ce retard donna le temps à plusieurs personnes de s'armer et de sortir dans la rue. (...) Il n'est pas douteux que si les Liégeois ne s'étaient pas amusés dans ces deux endroits dont j'ai parlé, et tout particulièrement dans la grange, où ils trouvèrent de la résistance, et s'ils avaient suivi ces deux hôtes qui étaient leurs guides, ils auraient tué le roi et le duc de Bourgogne; je crois qu'ils auraient aussi mis en déroute le reste de l'armée.

Philippe de Commynes, *Mémoires*, livre second, ch. XII.

Récit d'une aventure collective, un coup de main, conté avec une précision garante d'authenticité : l'incursion des desperados de Franchemont qui, voyant la ville aux abois, pénètrent en force, par surprise dans le camp bourguignon pour tuer le duc, leur ennemi, et le roi de France félon. La sobriété de la narration traduit la brutalité des gestes et l'acharnement des assaillants.

Scène d'une grande intensité dramatique et tragique, un coup de théâtre qui se désamorce : à deux reprises, le chroniqueur affirme que la tentative aurait réussi sans l'intervention du hasard. La rage aveugle des Liégeois, qui s'attardent à massacrer au lieu de foncer sur leur objectif, sauve les monarques.

Commynes, narrateur et aussi moraliste. Sans en avoir l'air, il charge cet épisode d'une leçon : le courage peut renverser la situation. Peut-être également donne-t-il un avertissement aux grands de ce monde, qui sûrs de leur toute puissance, sont à la mèrci de misérables qu'ils méprisent. Aventure édifiante.

● L'aventure merveilleuse

LE PONT DE L'ÉPÉE

> Lancelot est parti pour le pays de Gorre : il veut délivrer la reine Guenièvre, sa « dame » et sa suzeraine, que Méléagant, fils du roi Baudemagu, retient prisonnière. De multiples épreuves l'attendent, certaines surnaturelles. Ainsi, avec deux compagnons, il doit franchir un gouffre sur une épée gigantesque.

Au seuil du pont qui est très dangereux, ils descendent de leurs chevaux, et aperçoivent l'eau traîtresse, rapide, bruyante, noire et épaisse, si affreuse et si épouvantable qu'on eût dit le fleuve du diable, et si périlleuse et profonde, qu'aucune chose au monde, si elle y tombe, ne pourrait avoir un autre sort que si elle tombait dans la mer salée. Et le pont qui la traversait était différent de tous les autres. Il n'y en eut jamais et il n'y en aura jamais de semblable. Il n'y eut jamais, si on me demande la vérité, pont et plancher aussi dangereux. Une épée aiguisée et blanche formait le pont sur l'eau froide; et l'épée était solide et rigide et avait deux lances de long. De chaque côté, il y avait un tronc d'arbre où l'épée était fichée. Que personne ne craigne qu'il [1] ne tombe du fait que l'épée pût rompre ou plier. Car elle avait tant de résistance qu'elle pouvait supporter un aussi lourd fardeau. Mais ce qui surtout abattait le courage des deux cavaliers qui étaient avec le troisième, c'est qu'ils croyaient que deux lions ou deux léopards, à la tête du pont, de l'autre côté, étaient attachés à une grosse pierre. L'eau, le pont, les fauves les jettent dans une telle frayeur qu'ils tremblent tous les deux de peur. (...) Mais lui [1] entreprend de franchir le pont; aussi bien qu'il le peut, il s'équipe et, agissant de façon surprenante, il désarme ses jambes et ses bras. Certes il ne sera pas intact et sauf quand il atteindra l'autre bord ! Mais il se tiendra mieux sur l'épée qui

---

1. Lancelot.

était plus tranchante qu'une faux avec les mains nues et les jambes libres. Il aimait mieux se martyriser plutôt que de tomber du pont et s'enfoncer dans l'eau d'où jamais l'on ne se serait tiré. A grand-peine, comme c'était le cas, il avance et à grande souffrance. Mains et genoux et pieds se blessent. Mais ce qui le réconforte et le guérit, c'est Amour qui le conduit et le guide. Tout lui est doux à souffrir des pieds, des mains et des genoux. Il fait si bien qu'il arrive à l'autre bord. Alors il se rappelle et il se souvient des deux lions qu'il y pensait avoir vus lorsqu'il se trouvait à l'autre bord et il regarde. Mais il ne voit même pas un lézard, ni autre chose qui puisse lui faire du mal. Il met sa main devant son visage, regarde son anneau et a la preuve, puisqu'il ne trouve aucun des deux lions qu'il pensait avoir aperçus, qu'il a été enchanté et dupé; car il n'y avait rien de vivant.

> Chrétien de Troyes, *Le chevalier à la charrette*, vers 3019-3149, trad. Chevallier et Audiat, Éd. Hachette.

Remarquer le caractère romanesque, mélange de courtoisie et de merveilleux. Multiplication des obstacles : le fleuve effrayant, l'épée surnaturelle, les fauves — pour éprouver la constance du héros. L'amour vient à bout de toutes ces épreuves. Noter l'opposition entre la frayeur des deux compagnons et la résolution du chevalier courtois. Souffrances physiques peintes avec réalisme et vigueur. Manière dont, pendant la traversée du pont, il est réconforté par l'amour. Le merveilleux n'existe que dans son imagination hallucinée par la grandeur du péril : il s'évanouit, une fois l'épreuve accomplie. Symbole des dangers qui s'amenuisent et disparaissent quand on les brave.

● CHAPITRE IV

XVIe SIÈCLE :
CARAVELLES ET ARQUEBUSES

Autant que le Moyen Age, ce siècle est ouvert à l'aventure — largement. Aventure sur deux plans : comme naguère, des risque-tout, brûlant d'agir, les uns pour des motifs louables (amour de la gloire, esprit chevaleresque, patriotisme, curiosité scientifique), les autres par goût du lucre, par ambition ou fanatisme, mènent des vies dangereuses, pleines de hasards. Qu'ils cinglent vers le large, se signalent dans les combats, fassent crouler des empires ou pillent des galions chargés d'or, ils se comportent en aventuriers courants : ils foncent droit devant eux, sans possibilité de retraite. Forme d'aventure traditionnelle.

L'autre forme prend une dimension, une envergure inouïes : il s'agit d'une aventure intellectuelle et spirituelle, qui débouche sur une prise de position philosophique, politique ou religieuse, obligeant à penser, à vivre, à voir d'une façon nouvelle; le penseur fait alors figure de contestataire. Or, en cette époque où les autorités laïques et ecclésiastiques sont traditionalistes, le non-conformisme est une attitude périlleuse, puisque l'humanisme avec Érasme, l'Évangélisme avec Lefèvre d'Étaples, la Réforme avec Calvin remettent en cause toutes les valeurs officielles et intouchables. Prodigieuses aventures! On conteste les dogmes, le pouvoir pontifical, l'ordre social, la façon d'éduquer, de penser, de mener sa vie. On attaque les bastions traditionnels, garants de la stabilité : la Sorbonne, le clergé, les conciles, l'appareil judiciaire, la cour royale, et même, plus timidement, l'absolutisme du roi. Les vestiges du monde médiéval sont balayés, la forme de la civilisation occidentale remodelée; ces aventuriers de la pensée proposent des solutions nouvelles considérées comme téméraires ou hérétiques, ce qui leur vaut prison, défaveur, exil, supplice : Marot meurt à Turin, Rabelais doit se réfugier deux fois à Rome, Étienne Dolet, Michel Servet montent sur le bûcher. Et, à partir de 1560, la persécution atteint indifféremment penseurs et protestants. Le non-conformisme intellectuel plonge le contestataire dans les remous d'une aventure souvent fatale.

Cependant les conditions politiques et commerciales, comme précédemment, font germer des générations d'aventuriers : les grandes découvertes sont l'œuvre d'illuminés, se lançant en enfants perdus sur les mers océanes. Des caravelles de quarante tonneaux portent Christophe Colomb aux Antilles, Vasco de Gama aux Indes, Magellan, par-delà la Terre de Feu, à travers le Pacifique. Les conquistadores espagnols et portugais prolongent leurs entreprises, courant des aventures si singulières qu'elles ont la grandeur irréelle d'exploits mythiques : avec trois cents hommes et quinze chevaux, Cortez abat au Mexique l'immense empire des Aztèques. Il est vrai qu'il brûle ses vaisseaux à Vera Cruz, pour contraindre ses compagnons à aller de l'avant — comportement spécifique à l'aventurier. Pizarre avec une poignée de gueux triomphe des Incas, Cartier fonde Québec. Les richesses amassées par les Espagnols tentent les corsaires anglais, Drake, Raleigh dont l'audace effrénée vient à bout même de l'Invincible Armada.

Aventure sur mer, aventure aussi sur terre : la France, embourbée dans les guerres d'Italie, doit affronter Charles Quint. C'est encore l'époque des chevauchées, des charges de chevaliers, la lance en arrêt : Gaston de Foix à Ravenne, François Ier à Marignan, Bayard au Garigliano, La Palisse à Pavie renouvellent les exploits des héros antiques et des preux. Puis, pendant les guerres de religion, temps où l'anarchie est à son comble, l'aventurier petit ou grand trouve un terrain à sa convenance. Les reîtres qu'évoque Mérimée dans sa *Chronique du règne de Charles IX*, les ligueurs parisiens insurgés contre Henri III et deux fois assiégés en dix ans, sont de véritables desperados; le roi de Navarre, le futur Henri IV, avec des moyens modestes, au prix d'une véritable épopée, restaure la paix, monte sur le trône, — récompense d'une vie aventureuse qui, la nuit de la Saint-Barthélemy, s'initie au danger et finit sous le poignard de Ravaillac. Roi longtemps aventurier qu'entourent des compagnons de sa trempe, tel Agrippa d'Aubigné, combattant farouche, laissé pour mort sur un champ de bataille, poète halluciné, amant précieux de Diane de Talcy, et qui mourut à Genève, général de la milice.

A vrai dire, l'aventure, vers 1550, commence à perdre son prestige. L'arquebuse et le canon, rendant inefficace la bravoure, nuisent à l'image de marque léguée par l'aventurier chevaleresque. Bayard est tué par un tireur embusqué qui lui brise l'échine. L'exploit individuel, qui rythme l'aventure violente, devient plus rare, plus difficile. Désormais, on s'expose à la mort en rang, au commandement et l'on tue à distance. L'épopée des pourfendeurs devient un anachronisme. Elle s'exprime, moins dans les chroniques que dans le *Roland furieux* de l'Arioste, ou sous une forme maniérée, dans ces romans de chevalerie, tel *Amadis de Gaule*, que la servante de Don Quichotte fera brûler dans son patio.

Sur mer aussi, l'aventure perd son lustre : le marin trouve désormais un port et des compatriotes pour l'accueillir aux Indes Occidentales ou Orientales. Les routes maritimes ont été reconnues, les pilotes connaissent le régime des vents, des tempêtes, les courants, les passes, les havres où chercher refuge. La navigation cesse d'être une performance, devient une routine. La découverte a dissipé l'effroi de jadis : le marin a identifié les périls qui l'attendent, il ne croit plus au surnaturel. Insensiblement, à l'esprit d'aventure succède l'esprit de lucre, et ses séquelles sans prestige.

Les conflits religieux contribuent enfin à la désacralisation de l'aventure. En ces temps d'horreur, le héros, l'aventurier, souvent meurt sans gloire, sous la torture, au gibet. Trop de massacres, trop de souffrances, trop de destructions. Les meilleurs en viennent à redouter « une nouvelleté », qu'ils prennent pour un ferment du fanatisme; ils se méfient de l'action, surtout violente et désordonnée (sauf si elle a une portée exemplaire. C'est pour cette raison qu'Amyot traduit les *Vies des hommes illustres* de Plutarque.) Mais la littérature humaniste s'intéresse peu à l'agitation extérieure; férue de psychologie, elle a pour objet la connaissance de l'homme, créature tenue pour immuable, au-delà des accidents passagers. Les circonstances anormales — substance du récit d'aventure — ne constituent pas son propos habituel.

Est-ce pour ces raisons qu'en ce siècle où l'aventure fleurit, sévit, rares sont les livres qui en portent témoignage? Quelques narrations de voyage, l'ouvrage de Las Casas, surtout plaidoyer en faveur des Indiens, les confidences du Loyal Serviteur [1] sur Bayard, les *Commentaires* de Montluc. Le seul chef-d'œuvre qu'inspire alors l'aventure, c'est l'œuvre de Rabelais qui tient compte des deux niveaux dont nous avons parlé : le conteur prête à ses personnages des combats épiques, des mésaventures, des navigations mouvementées — transposition sur le mode gigantal et burlesque des formes que prend l'aventure à cette époque. De plus, par ses sous-entendus, ses allusions satiriques, ses attaques directes, humaniste convaincu, plein de sympathie pour les Évangélistes, il plaide en faveur de l'aventure spirituelle. Gargantua, Pantagruel, Panurge, Frère Jean, voilà les archétypes d'aventuriers, presque les seuls, que nous propose la littérature de la Renaissance.

● Les Grandes Découvertes

PRISE DE CONTACT AVEC LES AMÉRICAINS

Parti de Palos de Moguer (Espagne) le 3 août 1492, Christophe Colomb cingle droit vers l'ouest, à travers un océan inconnu. Malgré la terreur de son équipage, il poursuit sa course et, le 12 octobre, il aborde à l'île de Guanahani, dans l'archipel des Bahamas. Son *Journal de bord* a été publié par Las Casas.

---

1. Pseudonyme de l'écuyer de Bayard. Il écrivit une biographie de son maître.

13 octobre (1492). Ils vinrent au navire dans des pirogues faites dans un tronc d'arbre, d'une seule pièce, travaillées à merveille, certaines si grandes qu'elles tiennent jusqu'à quarante ou quarante-cinq hommes; d'autres sont si petites qu'un seul homme peut y monter. Ils ramaient avec une seule rame, et les embarcations filaient; quand elles se renversent, ils se jettent aussitôt à l'eau, les remettent d'aplomb et les vident avec des calebasses dont ils sont munis.

Ils nous apportaient des bobines de coton filé, des perroquets, des pagaies et autres petites choses qu'il serait fastidieux d'écrire. J'étais très attentif et m'efforçais de savoir s'il n'y avait pas d'or : j'en vis quelques-uns qui portaient un petit morceau d'or pendu au nez; ils me firent entendre par signes qu'en contournant l'île par le sud, on arrivait chez un roi qui avait de grands vases d'or et possédait beaucoup d'or. Je m'efforçai d'attendre jusqu'à demain soir et de prendre alors la direction du sud-ouest, car, d'après ce que m'indiquaient beaucoup d'entre eux, il y avait des terres vers le midi; je voulais y aller chercher l'or et les pierres précieuses.

Je désire, pour ne pas perdre de temps, partir au plus vite et aller voir si je puis rencontrer l'île de Cipango [1]. Aujourd'hui, quand il fit nuit, tous s'en retournèrent à terre avec leurs pirogues.

> Barthélemy Las Casas, *Historia de las Indias*, trad. Marianne Mahn-Lot, Calmann-Lévy, 1962.

● **La transposition burlesque**

TEMPÊTE EN MER

Soudain la mer commença s'enfler et tumultuer du bas abîme, les fortes vagues battre les flancs

---

1. Le Japon dont Marco Polo avait vanté les richesses.

de nos vaisseaux, le mistral, accompagné d'un cole [1] effréné, de noires gruppades [2], de terribles sions [3], de mortelles bourrasques, siffler à travers nos antennes [4]. Le ciel tonner du haut, foudroyer, éclairer, pleuvoir, grêler, l'air perdre sa transparence, devenir opaque, ténébreux, et obscurci, si que autre lumière ne nous apparaissait que des foudres, éclairs et infractions [5] des flambantes nuées; les categides [6], thielles [7], lelapes [8] et presteres [9] enflammer tout autour de nous par les psoloentes [10], arges [11], elicies [12] et autres éjaculations [13] éthérées; nos aspects tous être dissipés et perturbés, les horrifiques typhons suspendre les montueuses [14] vagues du courant. Croyez que ce nous semblait être l'antique Chaos, en quel étaient feu, air, mer, terre, tous les éléments en réfractaire [15] confusion.

Panurge, ayant du contenu de son estomac bien repu les poissons scatophages [16], restait accroupi sus le tillac; tout affligé, tout meshaigné [17] et à demi mort, invoqua tous les benoîts saints et saintes à son aide, protesta de soi confesser en son temps et lieu, puis s'écria en grand effroi : « Majordome, hau, mon ami, mon père, mon oncle, produisez un peu de salé [18] ; nous ne boirons tantôt que trop à ce que je vois. (...)

Voyez à la calamité [19] de votre boussole, de grâce,

---

1. Ouragan.
2. Bourrasques.
3. Tourmentes.
4. Vergues.
5. Déchirements.
6. Tempêtes.
7. Coups de vent.
8. Tourbillons.
9. Orages.
10. Foudres.
11. Éclairs blancs.
12. Éclairs en zigzag. Mots tirés du grec.
13. Projections.
14. Hautes comme des montagnes.
15. Qui refuse de se soumettre à des lois.
16. Qui mange les déjections.
17. Chagriné.
18. Servez des aliments salés pour boire davantage.
19. Aiguille.

maître Astrophile [1], dont nous vient ce fortunal [2]?
Par ma foi! j'ai belle peur. Bou Bou Bou, Bous Bous,
je me conchie de mal rage de peur. Bou bou bou bou!
Otto, to to to, ti! Otto, to, to to to ti! Bou bou bou,
ou ou ou bou bou bous bous! Je naye [3], je naye,
je meurs ! Bonnes gens, je naye! »

> Rabelais, *Pantagruel*, Livre IV, chapitre
> XIX, V.

● **Que la guerre est jolie!**

CAMISADE [4] A BOULOGNE

Blaise de Montluc, gascon, maréchal de France, vécut
comme on vivra dans les romans de cape et d'épée, grand
preneur de villes, choyé par les dames de Sienne (1501-
1577). En 1544, rappelé d'Italie avec ses « bandes » franco-
italiennes, il fait campagne en Flandre et tente un assaut
nocturne contre Boulogne qu'occupent les Anglais.
Avec une poignée d'hommes, le voilà parvenu au centre
de la cité.

Tout à coup, voici une grande troupe d'Anglais
qui venaient la tête baissée droit à nous, qui étions
devant l'église et en la rue joignante à celle, criant :
« Who gœth ther? », c'est-à-dire : « Qui va là? » Je
leur répondis en anglais : « A friend, a friend », qui
veut dire : « Amis, amis. » Car de toutes les langues
qui se sont mêlées parmi nous, j'ai appris quelques
mots et passablement l'italien et l'espagnol. Cela
m'a parfois servi. Comme ces Anglais eurent fait
d'autres demandes et que je fus au bout de mon
latin, ils poursuivirent en criant : « Quil (kill), Quil
Quil! », c'est-à-dire : « Tue, tue, tue. » Alors je criai

---

1. Ami des astres.
2. Ouragan.
3. Je me noie.
4. De camicia (en italien, chemise) : assaut de nuit. Les soldats couvraient
leurs armes d'une chemise pour se reconnaître dans l'obscurité.

aux capitaines italiens : « Aiutate mi e state appreso me, perche io me ne vos assaghi li : non bisogno lassiar mi investire [1]. » Je tournai la tête baissée droit à eux, lesquels tournèrent visage et les menai battant jusques au bout de la rue; et tournèrent tous à main droite, au long de la muraille de la ville haute, de laquelle on me tirait de petites pièces et force de flèches. Je me retirai jusques aux Italiens, où je ne fus plus tôt arrivé qu'ils vinrent encore pour me recharger. Mais j'avais un peu de courage, de tant [2] que je les avais trouvés assez aisés à prendre la fuite; et les laissai venir jusques auprès de nous, où je les chargeai, et me sembla qu'ils la prirent encore plus aisément... Ce qui me sauva, c'est que tout ce jour-là, je ne perdis jamais l'entendement; et me servit bien que Dieu me le conservât, car, si je l'eusse perdu, nous eussions reçu une grande escorne [3], et j'eusse été en grand danger de n'être jamais maréchal de France.

Montluc, Commentaires, I, 4.

Une aventure personnelle contée avec alacrité et humour. Montluc sait à la fois se mettre en valeur (discrètement) et se moquer de lui-même (au début, quand il s'évertue à jargonner en anglais, à la fin, quand il se loue de n'avoir point perdu la tête).

Feinte modestie : il ne joue pas au foudre de guerre. Pourtant, on a l'impression qu'à lui seul, il met à deux reprises l'ennemi en fuite. Beaucoup de pittoresque et de vie : le dialogue nocturne, les cris et les ordres en anglais, en italien, les mouvements de va-et-vient — une sorte de corrida : tout le monde fonce, tête baissée. On dirait un pas de danse avec Montluc comme chef de ballet, les Anglais constituant le corps. Mouvement en avant, dérobade, volte-face, recul, nouveau mouvement en avant, plus rapide. Les phrases courtes donnent l'impression de l'agilité, de la désinvolture. Comment prendre au sérieux cette escarmouche, pourtant historique, qui ressemble à une partie de barres ?

---

1. « Aidez-moi et tenez-vous auprès de moi, parce que je m'en vais les assaillir; il ne faut pas me laisser entourer. »
2. Étant donné que.
3. Affront.

● CHAPITRE V

XVIIᵉ SIÈCLE :
DE LA MER A LA CHIMÈRE

Le XVIIᵉ siècle offre encore des conditions propices à l'aventure ; certes les grandes découvertes sont terminées ; mais voyages[1] et colonisations les prolongent. Bernier, Tavernier, Chardin parcourent la Turquie, la Perse, l'Inde. Champlain, Cavelier de La Salle, Marquette, Jolliet explorent la région des Grands Lacs américains, descendent l'Ohio, le Mississippi, fondent le Canada et la Louisiane. Des émigrants venus de Normandie, de Bretagne, de l'Aunis s'installent à la Nouvelle-Orléans, à Montréal... Or, à cette époque, se risquer en ces terres lointaines, pays d'antiques civilisations ou de barbarie, c'est engager une terrible partie dont la vie est l'enjeu.

D'autre part, la politique belliqueuse menée par Richelieu, puis par le Roi-Soleil favorise aussi l'aventure : la guerre a toujours été chérie des aventuriers, puisqu'elle bouleverse l'ordre habituel, rend l'avenir incertain, la licence aisée. Pas

---

1. Saint-Amant est un marin, Regnard voyage en Laponie.

tellement les conflits sur terre : désormais, les États européens ont des armées disciplinées — ou presque — organisées en compagnies, en régiments, en escadrons. L'exploit individuel, celui qui consacre l'aventurier et dont il est friand, n'est guère possible. Tous les actes guerriers deviennent rituels.

Mais il reste la mer dont l'immensité se laisse difficilement régir par une réglementation. A côté des marines officielles, deux catégories de navigateurs échappent à tout contrôle, peuvent manifester leur esprit d'indépendance, leur audace : les flibustiers de Saint-Domingue, pilleurs de galions, ravageurs de villes — les corsaires, ceux-là tolérés, illustres parfois, quand leurs exploits parviennent jusqu'à Versailles. Jean Bart, Duguay-Trouin, marins de Dunkerque, de Saint-Malo et aussi de Flessingue, de Ramsgate... écumeurs de mer et aventuriers exemplaires : dès qu'ils prennent le large, ils sont condamnés à ne plus compter que sur leur bravoure, leur habileté et leur bonne étoile. Vivre l'aventure, en sa pureté, c'est dépasser le point de non-retour.

Néanmoins, à partir de 1600, à la différence des époques précédentes, le Français tend à devenir casanier, dans la mesure où la société s'organise : on reste dans son manoir, dans sa boutique, à son atelier, à sa ferme. Surtout quand Louis XIV eut établi un pouvoir absolu, monolithique, étouffant l'initiative et supprimant l'irrégularité. Mais auparavant, outre les vicissitudes d'une guerre de trente ans, que de secousses, que d'affaires ténébreuses! Richelieu et Mazarin eurent maille à partir avec les conspirateurs, les frondeurs, les parlementaires. Les menées politiques, fomentées à l'étourdie, s'entrelacent avec des intrigues amoureuses : Chalais monte à l'échafaud pour les beaux yeux de la duchesse de Chevreuse; La Rochefoucauld perd la vue, à la porte Saint-Antoine (une balle dans la tête), pour l'amour de la duchesse de Longueville. C'est le temps béni des duels, des entreprises téméraires qui, deux cents ans plus tard, inspireront les romans de cape et d'épée.

Une mode qui s'implante dans la première partie du siècle met en faveur une autre sorte d'aventure : l'aventure héroïque et rêvée, associée à de romanesques amours. L'hôtel de Rambouillet, le salon de Mlle de Scudéry, recueillant la tradition courtoise, sont les foyers d'une littérature qui célèbre les exploits d'un galant guerrier, grand conquérant de villes et de cœurs.

Remarquons-le : à l'époque classique, l'ouvrage exprime

rarement l'aventure vécue, peut-être parce que l'aventurier n'a ni le talent ni le temps de mettre en forme ses souvenirs, peut-être aussi parce que les bienséances condamnent les témoignages trop crus, pleins de scènes frénétiques ou sanglantes : *Histoire de flibustiers* d'Œxmelin, *Mémoires* de Retz, de Forbin, *Voyages* de Tavernier, de Chardin, de Regnard... La cueillette est pauvre.

En revanche, l'aventure plaît aux délicats dès qu'elle est transposée. Dans le monde antique par exemple : pour édifier le duc de Bourgogne, le précepteur Fénelon imagine les errances et les prouesses de Télémaque. Auparavant, la préciosité détermina les formes d'un roman d'aventures où de parfaits amants se conduisent en preux des anciens âges. Mlle de Scudéry, La Calprenède, Gomberville soumettent leurs héros à de multiples et invraisemblables épreuves qui font de leur existence un service perpétuel de l'amour, un continuel défi à la mort. Malgré la condamnation de Malebranche et le rationalisme desséchant, l'imagination reste si vive qu'elle inspire à Cyrano de Bergerac le premier en date de nos romans de science-fiction. Dans l'*Histoire des empires de la lune*, il analyse, avec une prescience incroyable, les impressions d'un astronaute enfermé dans une fusée lunaire.

Ce penchant pour l'aventure chimérique ou utopique ne serait-il pas révélateur ? En ce siècle où règne l'ordre majestueux imposé par le Grand Roi, où l'esprit classique n'admet que régularité, harmonie, soumission à des règles, il est probable que l'aventurier, cet irrégulier créateur d'anarchie et de hasard, a mauvaise presse. Mais comme les lecteurs ont besoin d'une évasion, ils se divertissent en lisant des aventures fictives. Une preuve que le panache de l'aventurier se défraîchit : on le caricature et, dans les premières années du siècle, venu d'Espagne, un certain chevalier à la Triste Figure, impénitent chercheur d'imprévu, se bat contre des moulins à vent.

● L'aventure héroïque et romanesque

UN EXPLOIT DE CÉLADON

Honoré d'Urfé (1567-1625) vécut comme un héros de roman. Épris de sa belle-sœur Diane de Châteaumorand, il réussit à l'épouser, bien que chevalier de Malte, l'abandonne, puis se réconcilie avec elle. Ligueur, prisonnier des troupes royales, libéré par Diane qui paie sa rançon, il guerroie pour le duc de Savoie contre le roi Henri. Il se réconcilie avec son suzerain et meurt en 1625 près de Gênes, lors d'une campagne contre les Espagnols ; (il commandait un régiment).

Entre 1607 et 1624, il publie *l'Astrée* qui inaugure la littérature romanesque et précieuse.

Astrée a banni de sa présence le berger Céladon qu'elle croyait infidèle. L'amoureux désespéré est recueilli par le druide Adamas qui le fait passer pour sa fille. Sous un travesti féminin, Céladon peut vivre auprès d'Astrée. Faits prisonniers par le cruel roi Polémas, les deux jeunes gens marchent à la mort. Mais Sémire, lieutenant du tyran, cause de leur infortune, est pris de remords et entreprend de les délivrer. Aidé de son frère et de Céladon, il tient tête aux soldats de Polémas pour protéger la retraite d'Astrée dans la ville de Marcilly.

Qui eût pris garde alors aux grands coups de Céladon eût bien jugé que son habit de fille, ni la profession de berger qu'il avait toujours faite ne lui pouvait faire démentir le courage généreux d'Alcippe ni de ses ancêtres [1]. Il n'avait pour toutes armes que l'épée et le rondache [2] que Sémire lui avait donnés; mais, sans souci de sa vie, il se jetait dans les fers des ennemis avec tant de hardiesse qu'il y en avait peu qui l'osassent attendre. Il est vrai qu'à tous coups il tournait la tête pour voir que devenait Astrée, et, quand il la vit élever en haut [3], il en reçut un contentement extrême, parce qu'ils étaient de sorte pressés qu'ils ne pouvaient plus soutenir l'effort de l'ennemi. (...) Tous demeuraient ravis de voir ce que Céladon faisait, car l'habit de bergère qu'il portait rendait toutes ses actions plus admirables. Son rondache était

---

1. Alcippe, père de Céladon, était chevalier avant de se faire berger.
2. Bouclier rond.
3. Marcilly est investie par l'armée de Polémas. Les assiégés hissent Astrée sur les remparts dans un panier.

tellement hérissé de flèches qui s'y étaient plantées,
que les dernières ne trouvaient plus de place vide,
et fallait que par nécessité elles frappassent sur
d'autres flèches. Son épée était teinte de sang et
la poignée même en dégouttait. Il était blessé en deux
ou trois lieux, et même en l'épaule droite d'un javelot
qui avait été lancé, et qui lui avait fait une grande
plaie; et quoique la perte du sang l'affaiblît beaucoup,
si est-ce que le désir extrême qu'il avait de se venger
de l'outrage qu'on avait fait à Astrée le transportait
de telle sorte que presque il ne la ressentait pas.

Honoré d'Urfé, L'Astrée, 4e partie.

● La parodie de l'aventure chevaleresque

LE CHAR DE LA MORT

Un pauvre gentilhomme espagnol, Don Quichotte,
a eu la cervelle troublée par la lecture des romans de
chevalerie. Prenant ses fictions pour la réalité, il veut
revivre les exploits de son modèle Amadis de Gaule [1]
et, en compagnie de son fidèle Sancho Pança, il erre à
la recherche d'aventures qui lui permettraient de prendre
le parti de l'opprimé. Cette généreuse chimère l'expose
à de nombreux ennuis.

Sancho vient d'entretenir son maître de Dulcinée, une
paysanne que le courtois chevalier prend pour une châ-
telaine et qu'il a choisie pour dame.

Don Quichotte allait répondre à Sancho, mais il
en fut empêché par un chariot qui traversa la route,
chargé des personnages les plus divers et les plus
étranges que l'on pût imaginer. Celui qui conduisait
les mules et servait de charretier était un affreux
démon. La charrette était pour ainsi dire à ciel ouvert,
avec une caisse sans panneaux ni toit. La première

---

1. Roman espagnol du XVe siècle, traduit vers 1540 par Herberay des Essarts.

figure qui s'offrit aux yeux de Don Quichotte fut celle de la Mort elle-même, avec une face humaine; auprès d'elle se trouvait un ange aux grandes ailes peintes; sur un côté, l'on voyait un empereur ayant sur la tête une couronne qui avait l'air en or : aux pieds de la Mort se tenait le dieu qu'on appelle Cupidon sans bandeau sur les yeux, mais avec son arc, son carquois et ses flèches. Il y avait aussi un chevalier armé de pied en cap, sauf qu'au lieu de morion ou de salade [1], il portait un chapeau chargé de plumes de diverses couleurs; sans compter d'autres personnages encore, aux costumes et aux visages les plus variés. Ce spectacle, absolument inopiné, bouleversa Don Quichotte, et causa de l'épouvante à Sancho ; mais, se rassérénant aussitôt, notre chevalier crut que s'offrait à lui une nouvelle et dangereuse aventure. Avec cette idée en tête, et prêt à affronter tous les périls, il se plaça devant la charrette, et d'une voix haute et menaçante, s'écria :

« Charretier, cocher, diable, ou qui que tu sois, dis-moi sans tarder qui tu es, où tu vas, et quels sont les gens que tu portes dans ta guimbarde, qui a beaucoup plus l'air de la barque de Charon que d'une honnête charrette habituelle. » — « Monsieur, répondit le diable, aimablement, en arrêtant son chariot, nous sommes des acteurs de la compagnie d'Angulo le Mauvais : ce matin qui est l'octave de la Fête-Dieu, nous avons représenté, dans une localité qui se trouve derrière la colline, la pièce des Cortès de la Mort, et nous devons la représenter encore ce soir dans un autre bourg qu'on aperçoit d'ici. Comme nous en étions si près, et pour nous épargner la peine d'ôter et de remettre nos costumes, nous avons gardé ceux qui nous servent dans nos rôles. Ce jeune homme que vous voyez représente la Mort, cet autre l'ange; cette femme, qui est celle de l'auteur, fait la reine ; celui-ci le soldat, cet autre l'empereur, et moi le diable. Je suis l'un des principaux personnages de la pièce et, en général, dans cette troupe, c'est

_____

1. Sorte de casque.

moi qui tiens les premiers rôles. Si Votre Grâce désire en savoir davantage, qu'elle m'interroge : je lui répondrai très exactement. Comme je suis le diable, je sais tout. » — « Foi de chevalier errant ! répondit Don Quichotte, en voyant ce char, je m'étais imaginé qu'une grande aventure s'offrait à moi; je vois bien à présent que, pour se détromper, il faut toucher les apparences avec la main. Allez en paix, bonnes gens; donnez votre fête, et si je puis vous être utile en quelque chose, pensez-y : je m'exécuterai de bien bon cœur. Tout gamin, j'aimais déjà les mascarades et, dans ma jeunesse, j'avais la passion des comédiens ambulants ».

Ils en étaient là de cette conversation, quand le sort fit intervenir un des membres de la compagnie, habillé en bouffon, avec force grelots, et portant au bout d'un bâton trois vessies de vache toutes gonflées : ce chienlit, approchant de Don Quichotte, commença à s'escrimer avec son bâton, et à taper par terre avec ses vessies, en exécutant de grandes cabrioles qui faisaient résonner ses grelots. Cette terrible vision effraya tellement Rossinante que, sans que Don Quichotte pût le retenir, il prit le mors aux dents, et se mit à courir à travers champ, avec une telle vitesse qu'on n'aurait jamais pu s'y attendre de la part de ce squelette. Sancho, comprenant le danger où se trouvait son maître d'être renversé, sauta à bas de son âne, et se précipita pour le secourir; mais, une fois arrivé, il le trouva étalé auprès de Rossinante, lui-même écroulé par terre...

> Cervantès, *Don Quichotte de la Manche*, t. II, ch. XI, trad. Francis de Miomandre, Union Latine d'Édition, 1965.

● L'aventure politique

UN PRÉLAT EN PLEINE ÉMEUTE

Paul de Gondi, coadjuteur de l'archevêque de Paris, puis cardinal de Retz fut un curieux prélat : grand seigneur, célèbre par ses duels et ses aventures galantes, il fut dévoré d'ambition, rêva d'exercer un rôle politique comme Richelieu jadis ou Mazarin. Pendant les deux Frondes (1648-1652), véritable agitateur politique, il souleva le peuple de Paris contre la cour, la reine et son ministre. On le vit bénir les combattants des barricades. Finalement, il obtint du pape le chapeau rouge de cardinal. Emprisonné à Vincennes, puis exilé en son château de Commercy, il passa le reste de sa vie en disgrâce.

Le 26 août 1648, Anne d'Autriche, régente du royaume fait arrêter deux parlementaires de l'opposition, Broussel et Blancmesnil. Aussitôt, Paris se couvre de barricades, la foule assiège le Palais-Royal. Le maréchal de La Meilleraye, chargé de rétablir l'ordre est bloqué avec ses gardes près du Pont-Neuf. L'intervention de Gondi le sauve, mais la reine doit promettre la libération de Broussel : elle charge Gondi de porter la nouvelle aux émeutiers. Fâcheuse mission.

Je sortis ainsi mon rochet et mon camail[1], en donnant des bénédictions à droite et à gauche ; et vous croyez bien que cette occupation ne m'empêchait pas de faire toutes les réflexions convenables à l'embarras dans lequel je me trouvais. Je pris toutefois sans balancer le parti d'aller purement à mon devoir, de prêcher l'obéissance, et de faire mes efforts pour apaiser le tumulte. (...) L'impétuosité du maréchal de La Meilleraye ne me laissa pas lieu de mesurer mes expressions : car au lieu de venir avec moi comme il me l'avait dit, il se mit à la tête des chevau-légers de la garde et il s'avança, l'épée à la main, en criant de toute

---

1. Rochet : surplis à manches étroites porté par les évêques; camail : pèlerine à capuchon que portent les évêques.

sa force : « Vive le roi, liberté à Broussel! » Comme il
était vu de beaucoup plus de gens qu'il n'y en avait
qui l'entendissent, il échauffa beaucoup plus de monde
par son épée qu'il n'en apaisa par sa voix. L'on cria
aux armes. Un crocheteur mit un sabre à la main
vis-à-vis des Quinze-Vingts [1] : le maréchal le tua d'un
coup de pistolet. Les cris redoublèrent, l'on courut
de tous côtés aux armes, une foule de peuple qui
m'avait suivi dans le Palais-Royal me porta plutôt
qu'elle ne me poussa jusques à la Croix du Tiroir [2],
et j'y trouvai le maréchal de La Meilleraye aux mains
avec une grosse troupe de bourgeois, qui avaient pris
les armes dans la rue de l'Arbre-Sec. Je me jetai dans
la foule pour essayer de les séparer, et je crus que les
uns et les autres porteraient au moins quelque respect à mon habit et à ma dignité. Je ne me trompai
pas absolument, car le maréchal, qui était fort embarrassé, prit avec joie ce prétexte pour commander
aux chevau-légers de ne plus tirer ; et les bourgeois
s'arrêtèrent et se contentèrent de faire ferme [3] dans le
carrefour ; mais il y en eut vingt ou trente qui sortirent avec des hallebardes et des mousquetons,
de la rue des Prouvelles, qui ne furent pas si modérés,
et qui ne me voyant pas ou ne voulant pas me voir,
firent une charge fort brusque aux chevau-légers,
cassèrent d'un coup de pistolet le bras à Fontrailles,
qui était auprès du maréchal, l'épée à la main, bles-
sèrent un de mes pages, qui portait le derrière de ma
soutane, et me donnèrent à moi-même un coup de
pierre au-dessous de l'oreille, qui me porta à terre.
Je ne fus pas plutôt relevé qu'un garçon d'apothi-
caire m'appuya un mousqueton sur la tête ; quoique
je ne le connusse point du tout, je crus qu'il était bon
de ne pas le lui témoigner dans ce moment, et je
lui dis au contraire : « Malheureux ! si ton père te
voyait... » Il s'imagina que j'étais le meilleur ami
de son père, que je n'avais pourtant jamais vu. Je

---

1. Hospice fondé par Saint Louis à Paris, en 1260, pour abriter des aveugles.
2. Carrefour de Paris.
3. Tenir bon.

crois que cette pensée lui donna celle de me regarder plus attentivement. Mon habit lui frappa les yeux : il me demanda si j'étais M. le Coadjuteur. Et aussitôt que je le lui eus dit, il cria : « Vive le Coadjuteur ». Tout le monde fit le même cri : l'on courut à moi, et le maréchal de La Meilleraye se retira avec plus de liberté au Palais-Royal, parce que j'affectai, pour lui en donner le temps, de marcher du côté des Halles.

Tout le monde me suivit et j'en eus besoin : car je trouvai cette fourmilière de fripiers en armes. Je les flattai, je les caressai, enfin je les persuadai. Ils quittèrent les armes, ce qui fut le salut de Paris ; parce que s'ils les eussent eues encore à la main à l'entrée de la nuit qui s'approchait, la ville eût été infailliblement pillée.

Le cardinal de Retz, *Mémoires*.

EN MER

> Faits prisonniers au cours d'un combat naval le 20 mai 1689, Jean Bart et Forbin sont emprisonnés à Plymouth. Ils se procurent une lime et une petite barque, grâce à des complicités.

J'achevai de rompre le barreau limé, et ayant attaché nos deux draps de lit l'un à l'autre, nous nous mîmes en état de descendre. (...) Quand on sort de prison, on est si aise qu'on ne compte pour rien le danger, quelque grand qu'il soit. Nous entrâmes dans le petit canot avec autant d'assurance que si ç'avait été un amiral [1]. Nous n'y trouvâmes que deux avirons, un long et un petit ; comme mes blessures saignaient encore, je n'étais pas en état de ramer ; je pris le gouvernail, Bart prit le grand aviron, et un des mousses le petit. Nous traversâmes ainsi la rade au milieu de vingt bâtiments qui criaient de tout côté : « Où va la chaloupe? » Bart répondit en anglais :

_____

1. Un vaisseau amiral.

Fishermen, c'est-à-dire pêcheurs. Le péril nous donnait des forces, nous naviguâmes deux jours et demi dans la Manche, par un fort beau temps, et couvert d'un brouillard qui favorisait notre fuite. Pendant cette longue traite, Bart rama toujours avec une vigueur infatigable, sans se reposer, que pour manger un morceau à la hâte ; enfin, nous arrivâmes sur les côtes de Bretagne, après avoir fait soixante-quatre lieues dans moins de quarante-huit heures. Dès le grand matin, nous prîmes terre à six lieues de Saint-Malo, près d'un village qui s'appelle Hanqui.

Forbin, *Mémoires*.

● **L'aventure fiction**

A BORD D'UNE FUSÉE LUNAIRE, EN 1657

> Cyrano de Bergerac, poète burlesque et libertin, contemporain de Richelieu et de Mazarin suppose qu'il a inventé un appareil, l'icosaèdre, mû par l'énergie solaire. A bord de cette machine, il s'élève pour la seconde fois vers la lune.

Cependant mon élévation continuait, et à mesure qu'elle approchait de ce monde enflammé, je sentais couler dans mon sang une certaine joie qui le rectifiait, et passait jusqu'à l'âme. De temps en temps je regardais en haut pour admirer la vivacité des nuances qui rayonnaient dans mon petit dôme de cristal, et j'ai la mémoire encore présente, que je pointais alors mes yeux dans le bocal du vase, comme voici que tout en sursaut je sens je ne sais quoi de lourd qui s'envole de toutes les parties de mon corps. Un tourbillon de fumée fort épaisse et quasi palpable suffoqua mon verre de ténèbres ; et quand je voulus me mettre debout pour contempler ce noir dont j'étais aveuglé, je ne vis plus ni vase, ni miroirs, ni verrière, ni couverture à ma cabane. Je baissai donc la vue à dessein de regarder ce qui faisait ainsi choir mon chef-d'œuvre en ruine : mais je ne trouvai à sa place, et à celle des quatre côtés et du plancher, que le ciel tout autour de moi. Encore ce qui m'effraya davantage, ce fut de sentir, comme si le vague de l'air se fût pétrifié, je ne sais quel obstacle invisible qui repoussait mes bras quand je les pensais étendre. Il me vint alors dans l'imagination qu'à force de monter, j'étais sans doute arrivé dans le firmament, que certains philosophes et quelques astronomes ont dit être solide. Je commençai à craindre d'y demeurer enchâssé ; mais l'horreur dont me consterna la bizarrerie de cet accident, s'accrut bien davantage par ceux qui succédèrent, car ma vue qui vaguait çà et là, étant par hasard tombée sur ma poitrine, au lieu de s'arrêter à la superficie de mon corps, passa tout à travers ; puis un moment ensuite je m'avisai que je regardais par derrière, et presque sans aucun intervalle. Comme si mon corps n'eût plus été qu'un organe de voir, je sentis ma chair, qui, s'étant décrassée de son opacité, transférait les objets à mes yeux, et mes yeux aux objets, par chez elle. Enfin après avoir heurté mille fois sans la voir, la voûte, le plancher, et les murs de ma chaise, je connus que par une secrète nécessité de la lumière dans sa source, nous étions ma cabane et moi devenus transparents.

Cyrano de Bergerac, *Les états et empires de la lune et du soleil.*

Dans ses *Histoires extraordinaires*, Edgar Poe raconte les impressions d'un astronaute à travers l'espace. Mais l'aventure d'Hans Pfaall est une mystification. Récit bourré d'invraisemblances. Deux siècles plus tôt, Cyrano, avec une prescience étonnante, imagine l'état d'esprit, les impressions, les observations d'un astronaute enfermé dans sa capsule.
— Peu de pittoresque. Style dépouillé du savant qui prend des notes. Le narrateur refuse le surnaturel, cherche une explication aux phénomènes même prodigieux, Réactions

(à suivre)

(suite)

mesurées, celles d'un homme de sciences : un début de
crainte, mais toujours le souci de connaître et de comprendre.
— Précision clinique des remarques faites sur lui-même :
le rythme de sa circulation, le sentiment de devenir impon-
dérable, aveugle, transparent — mêlées à des indications
sur l'appareil moteur (le dôme de cristal), la plongée dans
les ténèbres, le caractère diaphane de la machine.
— Une page extraite d'un journal de bord ou une déclaration faite après l'expérience. Ton très moderne.

L'aventure chimérique : Don Quichotte, par H. Daumier.

Cl. Giraudon.

● CHAPITRE VI

XVIIIᵉ SIÈCLE :
UN AVENTURIER NOMMÉ CANDIDE

L'expression de l'aventure dans l'œuvre littéraire prend trois formes, en ce temps-là :

1. Elle peut être un témoignage direct, l'aventurier narrant sa propre histoire, telle qu'il l'a ou croit l'avoir vécue, dans un récit, un journal, des mémoires... Déjà Montluc au XVIᵉ siècle dans ses *Commentaires*; de nos jours, Henri Charrière dans *Papillon*, Albertine Sarrazin dans *La cavale*...

2. Elle est souvent interprétée par un écrivain qui s'inspire d'événements vécus, prend pour modèles des personnages réels. Plus ou moins déformée par les conventions du genre, elle se coule dans un roman (historique, exotique, romanesque), mêlée bien souvent à une intrigue amoureuse, quelquefois dans un poème de dimension épique (ce sera le cas au XIXᵉ siècle avec *La légende des siècles*).

3. Parfois, elle refuse totalement la vérité, la vraisemblance, devient utopie, fiction, anticipation, avec Cyrano précédemment, plus tard, avec Jules Verne.

Au XVIIIe siècle, ces trois sortes de livres consacrés à l'aventure existent conjointement. Bougainville raconte son voyage en Polynésie, navigation dangereuse au temps de la marine à voile : La Pérouse se perdit avec ses deux frégates sur les récifs de Vanikoro. Lesage narre les aventures de M. Robert Chevalier, flibustier imaginaire, héritier littéraire des Frères de la Côte; Daniel de Foe incarne un naufragé authentique, Alexandre Selkirk, en un personnage fictif, Robinson Crusoé. Mais la troisième forme d'expression s'impose, celle qui invente l'aventure et l'aventurier (Swift a donné l'exemple en créant Gulliver). Alors le récit sert à porter des thèses, à mettre en valeur des critiques. L'aventurier perd sa carrure, son pittoresque humain : il s'amenuise, il est réduit à l'état de signe.

Sans doute, il fait partie d'une gent nombreuse et variée. Songeons aux picaros de Lesage, aux pirates du Pacifique, à Cartouche, à Mandrin. Outre ces aventuriers mal famés, il existe une autre catégorie, presque aussi pernicieuse, mais moins voyante, ceux que leur malheur ou leur ambition oblige à vivre d'expédients, à ruser avec la loi, la justice, l'organisation sociale : Gil Blas, Turcaret, Figaro.

Mais la littérature de cette époque campe avant tout des aventuriers typiques, sans épaisseur, qui ont la valeur de symboles : Zadig, le sage, persécuté par le Destin, Candide, l'Ingénu, naïfs et victimes des méchants, Jacques qui incarne le fatalisme... En un mot, les philosophes ont compris tout le parti qu'ils pouvaient tirer du récit d'aventure qui permet de soumettre un héros significatif à des épreuves choisies. Manière élégante, efficace et sans danger de flétrir les abus, injustices, calamités que sèment l'ignorance, le fanatisme, le hasard. Peu importe si les aventures sont invraisemblables, ne serait-ce que par leur perpétuel et incessant retour. Elles intéressent de biais, par l'idée ou l'absurdité qu'elles font éclater.

Ce qui nous explique la défaveur du siècle pour l'aventure traditionnelle. Les écrivains sont des philosophes, ils répandent des remontrances et des lumières [1]. L'œuvre littéraire leur sert de tribune, de pamphlet, d'arme qui bat en brèche le régime et les convictions. Leur tâche est trop sérieuse pour qu'ils gaspillent leur talent à écrire des œuvres chargées de divertir sans instruire. D'autre part, rêvant d'une société harmonieuse

---

[1]. Certains mènent une vie d'aventuriers tels l'abbé Prévost et Beaumarchais.

où chaque citoyen aurait une place déterminée, ils n'ont guère de sympathie pour les songe-creux, trop imaginatifs, dont les violences ou les extravagances risqueraient de déranger anarchiquement l'ordre établi. Leurs aventuriers — presque tous involontaires — finissent par se stabiliser, une fois le cycle parcouru. Zadig épouse la belle Astarté, règne sur Babylone, Candide, cultivateur, est le mari de Cunégonde. Il n'est point jusqu'à Jacques, vagabond incorrigible, qui n'accepte de se ranger, petitement. Donc l'aventure n'est pas narrée pour elle-même : elle se termine le jour où elle n'a plus de leçons à donner.

Enfin, l'espace géographique, réservé à l'aventure se rétrécit pour les Français. Avec le traité de Paris (1763), qui consacre la perte du Canada et de l'Inde, on assiste à un repli sur l'hexagone, admis par l'opinion publique qui se désintéresse des navigations et des aventures exotiques. Voltaire parle avec dédain des quelques arpents de neige que constitue la Nouvelle-France. Et la dernière image qu'il veut laisser de lui-même est celle du patriarche sédentaire, cultivant son jardin de Ferney.

DÉPART POUR L'AVENTURE

Jean-Jacques Rousseau, « un philosophe contre les philosophes », vécut une extraordinaire aventure intellectuelle, contestant une société trop civilisée, adulé et haï. Ce ne fut pas un simple jeu de l'esprit. Adolescent, il s'abandonna à l'aventure, mena longtemps une existence vagabonde, livrée au hasard, ignorant les usages et parfois la loi. Voici l'incident qui décida de son destin. (Il a seize ans, travaille comme apprenti* chez un graveur de Genève.)

Dans nos promenades hors de la ville, j'allais toujours en avant sans songer au retour, à moins que d'autres y songeassent pour moi. J'y fus pris deux fois ; les portes furent fermées avant que je pusse arriver. Le lendemain, je fus traité comme on s'imagine, et la seconde fois, il me fut promis un tel accueil pour la troisième que je résolus de ne m'y pas exposer. Cette troisième fois si redoutée arriva pourtant. Ma vigilance fut mise en défaut par un maudit capitaine appelé M. Minutoli, qui fermait toujours la porte où il était de garde une demi-heure avant les autres. Je revenais avec deux camarades. A une demi-lieue de la ville, j'entends sonner la retraite ; je double le pas ; j'entends battre la caisse, je cours à toutes jambes : j'arrive essoufflé, tout en nage ; le cœur me bat ; je vois de loin les soldats à leur poste, j'accours, je crie d'une voix étouffée. Il était trop tard. A vingt pas de l'avancée[1] je vois lever le premier pont. Je frémis en voyant en l'air ces cornes terribles, sinistre et fatal augure du sort inévitable que ce moment commençait pour moi.

Dans le premier transport de douleur, je me jetai sur le glacis et mordis la terre. Mes camarades, riant de leur malheur, prirent à l'instant leur parti. Je pris aussi le mien ; mais ce fut d'une autre manière. Sur le lieu même je jurai de ne retourner jamais chez mon maître ; et le lendemain, quand, à l'heure de la découverte[2], ils rentrèrent en ville, je leur dis adieu pour jamais. (...)

Jean-Jacques Rousseau, *Les confessions*.

● L'aventure sur mer

L'AVENTURE DE ROBINSON

Poussé par le démon de l'aventure, un jeune Anglais, appartenant à une famille aisée du comté d'York, a entrepris de courir le monde. Captif des Barbaresques à Salé, puis évadé et planteur au Brésil, il s'embarque à bord d'un négrier qui doit chercher des esclaves sur la côte africaine. Au large du Brésil, le navire fait naufrage. L'équipage prend place dans une chaloupe.

Après avoir ramé ou plutôt dérivé l'espace d'une lieue et demie, une vague semblable à une montagne s'en vint roulant à notre arrière : c'était le coup de

---

1. Corps de garde.
2. L'ouverture des portes.

grâce. Elle se rua avec tant de furie qu'elle renversa tout à coup notre chaloupe, nous séparant les uns des autres ; à peine nous donna-t-elle le temps d'invoquer le nom de Dieu par une seule exclamation ; dans le moment, nous fûmes tous engloutis.

Indicible terreur ! Quoique je nageasse fort bien, je ne pus me dégager assez pour respirer, jusqu'à ce que la vague, m'ayant emporté bien avant vers le rivage, se brisât et me laissât à demi mort, à cause de l'eau que j'avais avalée. Voyant la terre assez proche de moi, j'eus assez de présence d'esprit et l'haleine assez bonne pour me lever et tâcher d'avancer avant qu'une autre vague revînt et me ressaisît. Mais la mer était à mes trousses, haute et furieuse, ennemie redoutable avec laquelle je ne pouvais me mesurer. Ce que je craignais le plus, c'était que le flot, après m'avoir poussé vers la terre, ne me rejetât ensuite dans la mer en s'en retournant.

Celui qui vint fondre sur moi la seconde fois me couvrit d'une masse d'eau de vingt ou trente pieds de hauteur ; je sentais que j'étais entraîné bien loin de la terre avec une force et une rapidité extrême ; en même temps, je retenais mon haleine, et je m'aidais en nageant de toutes mes forces. J'étais prêt d'étouffer quand je me sentis monter, et tout à coup je me trouvai la tête et les mains hors de l'eau, ce qui me soulagea ; ce répit de deux secondes me donna le temps de respirer, et redoubla mon courage ; je fus derechef couvert d'eau, mais tins bon, et m'apercevant que la mer brisée commençait à retourner, je m'élançai en avant tant que je pus et je sentis que je prenais pied. Je demeurai immobile pendant quelques moments pour reprendre ma respiration, puis je courus vers le rivage avec toute la vitesse dont j'étais capable. Malgré cet effort les vagues m'enlevèrent deux fois encore et me portèrent en avant comme elles l'avaient déjà fait.

Peu s'en fallut que le dernier de ces deux assauts ne me fût fatal ; car la mer me jeta contre un rocher, et cela si rudement que j'en perdis le sentiment. Je ne respirais plus qu'à peine. Un nouvel assaut m'eût suffoqué. Mais je revins à moi un peu avant son retour, et voyant que j'allais être enseveli, je m'attachai à un morceau de roc. Déjà les vagues n'étaient plus si hautes, la terre était proche, et je ne quittai point prise qu'elles n'eussent passé et repassé par-dessus moi. Après quoi je pris un autre essor, qui m'approcha si fort de terre, que la vague qui vint ensuite me couvrit, mais ne m'enleva pas ; je n'eus plus qu'à courir une dernière fois pour prendre terre, sur le haut du rivage, où je m'assis sur l'herbe, à l'abri des eaux.

> Daniel de Foe, *Vie et aventures de Robinson Crusoé*, Prologue, la Tempête, Éd. Brodard, 1918, trad. Brévannes.

AU LARGE DE TAHITI

Bougainville (1729-1811) fut avocat, secrétaire d'ambassade à Londres, capitaine de dragons, aide de camp de Montcalm, marin, chef d'escadre (il combattit l'Anglais Hood aux Antilles pendant la guerre d'Indépendance), membre de l'Académie des Sciences, sénateur impérial. Il fit le tour du monde à bord de *la Boudeuse*, frégate de vingt-six canons et conta son périple dans une narration qui inspira à Diderot une *Suite* célèbre.

Le 4 (avril 1768), au lever de l'aurore, nous reconnûmes que les deux terres, qui, la veille, nous avaient paru séparées, étaient unies ensemble par une terre plus basse qui se courbait en arc et formait une baie ouverte au nord-est. Nous courions à pleines voiles vers la terre présentant au vent [1] de cette baie, lorsque nous aperçûmes une pirogue qui venait du large et voguait vers la côte, se servant de sa voile et de ses pagaies. Elle nous passa de l'avant, et se joignit à une infinité d'autres qui, de toutes les parties de l'île, accouraient au-devant de nous. L'une d'elles

---

1. Vers laquelle soufflait le vent.

précédait les autres ; elle était conduite par douze hommes nus qui nous présentèrent des branches de bananiers, et leurs démonstrations attestaient que c'était là le rameau d'olivier. Nous leur répondîmes par tous les signes d'amitié dont nous pûmes nous aviser ; alors ils accostèrent le navire, et l'un d'eux, remarquable par son énorme chevelure hérissée en rayons, nous offrit avec son rameau de paix un petit cochon et un régime de bananes. Nous acceptâmes son présent, qu'il attacha à une corde qu'on lui jeta ; nous lui donnâmes des bonnets et des mouchoirs, et ces premiers présents furent le gage de notre alliance avec ce peuple.

> Bougainville, *Description d'un voyage autour du monde* (déc. 1766-fév. 1769) publié en 1771- 1772.

● L'aventure picaresque

UN VOLEUR NOVICE

Un jeune étudiant, inexpérimenté, naïf, est tombé entre les mains de brigands qui, pour le compromettre, l'obligent à devenir voleur de grands chemins.

Ce fut sur la fin du mois de septembre que je sortis du souterrain avec les voleurs. J'étais armé comme eux d'une carabine, de deux pistolets, d'une épée et d'une baïonnette et je montais un assez bon cheval qu'on avait pris au même gentilhomme dont je portais les habits. (...)

Nous passâmes auprès de Pontferra et nous allâmes nous mettre en embuscade dans un petit bois qui bordait le grand chemin de Léon. (...) Là nous attendîmes que la fortune nous offrît quelque bon coup à faire, quand nous aperçûmes un religieux de l'ordre de saint Dominique monté, contre l'ordinaire de ces bons pères, sur une mauvaise mule. « Dieu soit loué, s'écria le capitaine en riant, voici le chef-d'œuvre de Gil Blas. Il faut qu'il aille détrousser ce moine : voyons comme il s'y prendra. » Tous les voleurs jugèrent qu'effectivement cette commission me convenait, et ils m'exhortèrent à m'en bien acquitter. « Messieurs, leur dis-je, vous serez contents ; je vais mettre ce père nu comme la main et vous amener ici sa mule. » « Non, non, dit Rolando, elle n'en vaut pas la peine. Apporte-nous seulement la bourse de Sa Révérence. C'est tout ce que nous exigeons de toi. » « Je vais donc, repris-je, sous les yeux de mes maîtres, faire mon coup d'essai. J'espère qu'ils m'honoreront de leurs suffrages. » Là-dessus je sortis du bois et poussai vers le religieux en priant le ciel de me pardonner l'action que j'allais faire. (...)

Je joignis le père et lui demandai la bourse en lui présentant le bout d'un pistolet. Il s'arrêta tout court, et sans paraître effrayé : « Mon enfant, me dit-il, vous êtes bien jeune ; vous faites de bonne heure un vilain métier. » « Mon père, lui répondis-je, tout vilain qu'il est, je voudrais l'avoir commencé plus tôt. » « Ah ! mon fils, répliqua le bon religieux qui n'avait garde de comprendre le vrai sens de mes paroles, que dites-vous? quel aveuglement ! Souffrez que je vous représente l'état malheureux... » « Oh ! mon père, interrompis-je avec précipitation, trêve de morale, s'il vous plaît. Je ne viens pas sur les grands chemins pour entendre des sermons : il ne s'agit point ici de cela ; il faut que vous me donniez des espèces. Je veux de l'argent. » « De l'argent? me dit-il d'un air étonné ; vous jugez bien mal de la charité des Espagnols si vous croyez que les personnes de mon caractère aient besoin d'argent pour voyager en Espagne. Détrompez-vous ; on nous reçoit agréablement partout, on nous loge, on nous nourrit, et l'on ne nous demande pour cela que des prières. Enfin nous ne portons point d'argent sur la route, nous nous abandonnons à la Providence. » « Hé ! non, non, lui repartis-je, vous ne vous y abandonnez pas. Vous avez toujours de bonnes pistoles pour être plus sûrs de la Providence. Mais, mon père, ajoutai-je, finissons :

mes camarades qui sont dans ce bois s'impatientent`; jetez tout à l'heure votre bourse à terre, ou bien je vous tue. » A ces mots, que je prononçai d'un air menaçant, le religieux sembla craindre pour sa vie : « Attendez, me dit-il, je vais vous satisfaire. » (...) En disant cela, il tira de dessous sa robe une grosse bourse de peau de chamois qu'il laissa tomber à terre. Alors je lui dis qu'il pouvait continuer son chemin. (...) Le capitaine délia la bourse, l'ouvrit et en tira deux ou trois poignées de petites médailles de cuivre, entremêlées d'Agnus Dei avec quelques scapulaires.

Lesage, *Gil Blas*, tome I, ch. VIII.

UN BOHÈME AU XVIIIe SIÈCLE

Figaro se croit trahi par son obligé, le comte Almaviva. Sous le coup de la rancœur, comparant son destin de gueux au sort doré de son maître, il fait un retour sur son passé.

Est-il rien de plus bizarre que ma destinée ! Fils de je ne sais pas qui, volé par des bandits, élevé dans leurs mœurs, je m'en dégoûte et veux courir une carrière honnête ; et partout je suis repoussé ! J'apprends la chimie, la pharmacie, la chirurgie, et tout le crédit d'un grand Seigneur peut à peine me mettre à la main une lancette vétérinaire ! Las d'attrister des bêtes malades et pour faire un métier contraire, je me jette à corps perdu dans le théâtre : me fussé-je mis une pierre au cou ! Je broche une comédie dans les mœurs du sérail ; auteur espagnol, je crois pouvoir y fronder Mahomet sans scrupule : à l'instant, un envoyé... de je ne sais où se plaint de ce que j'offense dans mes vers la Sublime-Porte, la Perse, une partie de la presqu'île de l'Inde, toute l'Égypte, les royaumes de Barca, de Tripoli, de Tunis, d'Alger et de Maroc : et voilà ma comédie flambée, pour plaire aux princes mahométans, dont pas un, je crois, ne sait lire, et qui nous meurtrissent l'omoplate, en nous disant :

Chiens de chrétiens ! — Ne pouvant avilir l'esprit, on se venge en le maltraitant — Mes joues creusaient ; mon terme était échu ; je voyais de loin arriver l'affreux recors [1], la plume fichée dans sa perruque : en frémissant, je m'évertue. Il s'élève une question sur la nature des richesses, et, comme il n'est pas nécessaire de tenir les choses pour en raisonner, n'ayant pas un sol, j'écris sur la valeur de l'argent et sur son produit net ; sitôt je vois, du fond d'un fiacre, baisser pour moi le pont d'un château fort, à l'entrée duquel je laissai l'espérance et la liberté.

> Beaumarchais, *Le mariage de Figaro*, V, 3.

● L'aventure philosophique

SUR LA GALÈRE TURQUE

Les philosophes du XVIIIe siècle, Voltaire et Diderot en particulier, promènent leurs héros en des lieux divers, les soumettant à des épreuves dont ils tirent une leçon. Ainsi, le naïf Candide parcourt le monde. Après bien des vicissitudes, il s'embarque dans une galère turque et vogue à la recherche de sa bien-aimée Cunégonde.

Il y avait dans la chiourme [2] deux forçats qui ramaient fort mal, et à qui le levanti [3] patron appliquait de temps en temps quelques coups de nerf de bœuf sur leurs épaules nues ; Candide, par un mouvement naturel, les regarda plus attentivement que les autres galériens et s'approcha d'eux avec pitié. Quelques traits de leurs visages défigurés lui parurent avoir un peu de ressemblance avec Pangloss et avec ce malheureux jésuite, ce baron, ce frère de Mlle Cuné-

---

1. Assistant d'un huissier.
2. Ensemble des rameurs de la galère.
3. Équivalent de *levantin* : originaire des côtes de la Méditerranée orientale.

gonde. Cette idée l'émut et l'attrista. Il les considéra encore plus attentivement. « En vérité, dit-il à Cacambo, si je n'avais pas vu pendre maître Pangloss, et si je n'avais pas eu le malheur de tuer le baron, je croirais que ce sont eux qui rament dans cette galère. »

Au nom du baron et de Pangloss, les deux forçats poussèrent un grand cri, s'arrêtèrent sur leur banc et laissèrent tomber leurs rames. Le levanti patron accourait sur eux, et les coups de nerf de bœuf redoublaient. « Arrêtez ! arrêtez ! Seigneur, s'écria Candide, je vous donnerai tant d'argent que vous voudrez — Quoi ! c'est Candide, disait l'un des forçats — Quoi ! c'est Candide, disait l'autre. — Est-ce un songe ? dit Candide ; veillé-je ? suis-je dans cette galère ? Est-ce là monsieur le baron que j'ai tué ? Est-ce là maître Pangloss que j'ai vu pendre ? — C'est nous-mêmes, c'est nous-mêmes, répondirent-ils. — Quoi ! c'est là ce grand philosophe ? disait Martin. — Eh ! Monsieur le levanti patron, dit Candide, combien voulez-vous d'argent pour la rançon de M. de Thunder-ten-tronck, un des premiers barons de l'Empire, et de M. Pangloss, le plus profond métaphysicien d'Allemagne ? — Chien de chrétien, répondit le levanti patron, puisque ces deux chiens forçats de chrétiens sont des barons et des métaphysiciens, ce qui est sans doute une grande dignité dans leur pays, tu m'en donneras cinquante mille sequins. — Vous les aurez, Monsieur ; ramenez-moi comme un éclair à Constantinople, et vous serez payé sur-le-champ. Mais non, menez-moi chez Mlle Cunégonde. » Le levanti patron, sur la première offre de Candide, avait déjà tourné la proue vers la ville, et il faisait ramer plus vite qu'un oiseau ne fend les airs.

Voltaire, Candide, ch. XXVII.

LE CHAR FUNÈBRE

Diderot met en scène deux étranges compagnons dans *Jacques le fataliste*. Le Maître et son valet Jacques errent dans une province française indéterminée, se racontant leur vie, discutant philosophie et affrontant d'étranges aventures.

[Un jour] ils aperçurent un char drapé de noir, traîné par quatre chevaux noirs, couverts de housses noires qui leur enveloppaient la tête et qui descendaient jusqu'à leurs pieds ; derrière, deux domestiques en noir ; à la suite, deux autres vêtus de noir ; sur le siège du char, un cocher noir, le chapeau rabattu et entouré d'un long crêpe qui pendait le long de son épaule gauche ; ce cocher avait la tête penchée, laissait flotter ses guides et conduisait moins ses chevaux qu'ils ne le conduisaient. Voilà nos deux voyageurs arrivés au côté de cette voiture funèbre. A l'instant, Jacques pousse un cri, tombe de son cheval plutôt qu'il n'en descend, s'arrache les cheveux, se roule à terre en criant : « Mon capitaine ! mon pauvre capitaine ! c'est lui, je n'en saurais douter, voilà ses armes... » Il y avait, en effet, dans le char, un long cercueil sous un drap mortuaire, sur le drap mortuaire une épée avec un cordon, et à côté du cercueil un prêtre, son bréviaire à la main et psalmodiant. Le char allait toujours, Jacques le suivait en se lamentant, le maître suivait Jacques en jurant, et les domestiques certifiaient à Jacques que ce convoi était celui de son capitaine, décédé dans la ville voisine, d'où on le transportait à la sépulture de ses ancêtres. (...)

Quelques heures plus tard.

Jacques était à entamer l'histoire de son capitaine lorsqu'ils entendirent une troupe nombreuse d'hommes et de chevaux qui s'acheminaient derrière eux. C'était le même char lugubre qui revenait sur ses pas. Il était entouré... De gardes de la Ferme? — Non. — De cavaliers de maréchaussée? Peut-être. Quoi qu'il en soit, ce cortège était précédé du prêtre en soutane et en surplis, les mains liées derrière le dos ; du cocher noir, les mains liées derrière le dos ; et des deux valets noirs, les mains liées derrière le dos.

Qui fut bien surpris? Ce fut Jacques, qui s'écria :
« Mon capitaine, mon pauvre capitaine n'est pas mort !
Dieu soit loué !... »

Diderot, *Jacques le fataliste.*

● **La philosophie et l'aventure céleste**

A TRAVERS L'ESPACE SIDÉRAL

Micromégas, habitant de Sirius a été condamné à l'exil
par le grand muphti. Au cours d'un séjour sur Saturne,
il se lie d'amitié avec le secrétaire de l'Académie des
sciences. Les deux compagnons décident de parcourir
l'univers pour s'instruire et satisfaire leur curiosité.

Cependant, nos deux curieux partirent ; ils sau-
tèrent d'abord sur l'anneau, qu'ils trouvèrent assez
plat, comme l'a fort bien deviné un illustre habitant
de notre petit globe ; de là ils allèrent de lune en
lune. Une comète passait tout auprès de la dernière ;
ils s'élancèrent sur elle avec leurs domestiques et
leurs instruments. Quand ils eurent fait environ cent
cinquante millions de lieues, ils rencontrèrent les
satellites de Jupiter. Ils passèrent dans Jupiter
même, et y restèrent une année, pendant laquelle
ils apprirent de fort beaux secrets qui seraient actuellement sous presse sans messieurs les inquisiteurs
qui ont trouvé quelques propositions un peu dures.
(...) En sortant de Jupiter, ils traversèrent un espace
d'environ cent millions de lieues, et ils côtoyèrent
la planète de Mars, qui, comme on sait, est cinq fois
plus petite que notre petit globe ; ils virent deux lunes
qui servent à notre planète, et qui ont échappé
aux regards des astronomes. Je sais bien que le père
Castel écrira, et même assez plaisamment, contre
l'existence de ces deux lunes ; mais je m'en rapporte
à ceux qui raisonnent par analogie. Ces bons philo-
sophes-là savent combien il serait difficile que Mars,

qui est si loin du Soleil, se passât à moins de deux lunes. Quoi qu'il en soit, nos gens trouvèrent cela si petit qu'ils craignirent de n'y pas trouver de quoi coucher, et ils passèrent leur chemin, comme deux voyageurs qui dédaignent un mauvais cabaret de village et poussent jusqu'à la ville voisine. Mais le Sirien et son compagnon se repentirent bientôt. Ils allèrent longtemps et ne trouvèrent rien. Enfin ils aperçurent une petite lueur ; c'était la terre : cela fit pitié à des gens qui venaient de Jupiter. Cependant, de peur de se repentir une seconde fois, ils résolurent de débarquer. Ils passèrent sur la queue de la comète, et trouvant une aurore boréale toute prête, ils se mirent dedans, et arrivèrent à terre sur le bord septentrional de la mer Baltique. (...)

Voltaire, *Micromégas*, ch. III.

Un voyage interplanétaire fantaisiste, dont l'intention est satirique : convergence de deux traditions, celles du voyageur imaginaire et du visiteur juge (Sindbad le marin et Gulliver). Mais ce sont des êtres célestes qui viennent sur notre globe, non des hommes qui vont dans la stratosphère.

— Le voyage dans l'espace appartient à la fiction pure. Moyens de locomotion : des bonds de lune en lune, puis une comète transformée en engin spatial. Étapes du trajet sidéral, indiquées avec une fausse précision : l'anneau de Saturne, Jupiter, Mars, deux lunes, la côte de Bosnie. Amenuisement des distances : d'abord infinies, de lune en lune, puis chiffrables par millions de kilomètres, enfin presque à la mesure humaine. « Ils allèrent longtemps. » En même temps, rétrécissement des surfaces, de Jupiter à une « petite lueur ». A la fois descente vertigineuse et rapetissement prodigieux.

— Humour : les deux géants planétaires ont la mentalité de voyageurs humains, soucieux de leur confort.

— Absence de pittoresque, de poncif romanesque. Pourtant ici, satire limitée à trois piques contre Newton, l'Inquisition, le père Castel. Idée philosophique de la relativité à peine ébauchée. Mais déjà, intérêt de ce jeu entre la raison qui critique et l'imagination qui crée la fiction comique.

Cl. Bulloz.

Première aventure dans l'espace.
Montgolfière à air chaud qui, le 21 novembre 1783, fit la
première ascension avec deux hommes à son bord : Pilâtre
de Rozier et d'Arlandes.

LE RÊVE D'ICARE

> Le 21 novembre 1783, Pilâtre de Rozier et le marquis d'Arlandes font la première ascension de tous les temps, dans une montgolfière. Le marquis d'Arlandes a fait le récit de ce voyage aérien dans une lettre à M. Faujas de Saint-Fond. (28 novembre 1783).

Nous sommes partis du jardin de la Muette à une heure cinquante-quatre minutes. La situation de la machine était telle que M. Pilâtre de Rozier était à l'ouest et moi à l'est ; l'aire du vent était à peu près nord-ouest. La machine, dit le public, s'est élevée avec majesté ; mais il me semble que peu de personnes se sont aperçues qu'au moment où elle a dépassé les charmilles, elle a fait un demi-tour sur elle-même.

Dès ce moment jusqu'où nous sommes arrivés, nous avons conservé la même position par rapport à la ligne que nous avons parcourue. J'étais surpris du silence et du peu de mouvement que notre départ avait occasionnés parmi les spectateurs ; je crus qu'étonnés, et peut-être effrayés de ce nouveau spectacle, ils avaient besoin d'être rassurés. Je saluai du bras avec assez peu de succès ; mais ayant tiré mon mouchoir, je l'agitai, et je m'aperçus alors d'un grand mouvement dans le jardin de la Muette. Il m'a semblé que les spectateurs qui étaient épars dans cette enceinte se réunissaient en une seule masse, et que, par un mouvement involontaire, elle se portait pour nous suivre vers le mur, qu'elle semblait regarder comme le seul obstacle qui nous séparait. C'est dans ce moment que M. Pilâtre me dit : « Vous ne faites rien, et nous ne montons guère — Pardon, lui répondis-je. » Je mis une botte de paille ; je remuai un peu le feu et je me retournai bien vite, mais je ne pus retrouver la Muette. Étonné, je jetai un regard sur le cours de la rivière : je la suis de l'œil ; enfin j'aperçois le confluent de l'Oise. (...) Nous nous sommes posés sur la Butte-aux-Cailles.

Marquis d'Arlandes, *Lettre à M. Faujas de Saint-Fond*, 28 nov. 1783.

CHAPITRE VII

XIXᵉ SIÈCLE :
DE CHACTAS A SHERLOCK HOLMES [1]

Le thème de l'aventure acquiert droit de cité. La production littéraire est abondante, parfois de valeur. Non que la masse des lecteurs ait le goût du risque et du déplacement. Au contraire : le Français d'alors s'embourgeoise, aime son confort, ses pantoufles... « Le stupide XIXᵉ siècle » écrit le royaliste Léon Daudet. Même le public lettré, sauf les bohèmes, se méfie du hasard. On apprécie l'ordre en France sous la Restauration, la monarchie de Juillet, le second Empire, et même l'Ordre Moral. Les révoltés de la Commune eurent contre eux tout le monde, y compris les gens éclairés, Flaubert, Sand, Zola, A. France... La troisième République reste aussi timorée, conformiste. L'instituteur, prenant le relais du curé, enseigne le respect des institutions, des lois morales, des convenances. Le bon citoyen, c'est celui qui vit en famille, qui remplit sa fonction sociale, exerce son métier, rituellement, et accepte son sort. Messieurs les Ronds-de-Cuir... Tous leur ressemblent, peu ou prou. Les gens comme

---

1. C'est la première guerre mondiale (1914-1918) qui met fin à ce siècle littéraire.

il faut sont les sédentaires, soucieux de tranquillité et de considération. Paysans ou financiers, ouvriers, notables, chefs d'industrie, tous aspirent moins à des lendemains qui enchantent qu'à un avenir stable.

Or, l'aventurier s'expatrie, se remue, se signale par une publicité tapageuse. Pauvre, en général, sans attache, il fait bon marché de la morale, de la moralité, de l'opinion publique. On le juge homme de mauvaise compagnie, semeur de troubles et de chimères, un peu inquiétant, eût-il une tête couronnée. Le prince Maximilien d'Autriche, pour avoir rêvé du Mexique, est fusillé à Queretaro, comme un vulgaire partisan, et nul ne pipe mot. Pourquoi les livres parleraient-ils de semblables trublions, alors qu'il est tant de beaux lieux communs, tant d'études de mœurs, tant de réflexions philosophiques ou politiques, à la disposition de l'auteur ?

Pourtant ils en parlent, et abondamment. Le lecteur, parce qu'il est casanier, en vertu du principe de compensation, prend plaisir à vivre dans des romans, quelquefois au spectacle, le rêve dangereusement héroïque qui échappe à sa prise.

Et puis, cette époque offre de nombreux modèles d'aventuriers, des formes d'aventure nombreuses, créées par les impératifs économiques et politiques. Les puissances occidentales, la France et l'Angleterre surtout, se taillent en Afrique, en Asie, en Océanie un immense empire colonial. Et les journaux de relater explorations, expéditions lointaines. L'actualité est pleine d'aventures historiques : prise d'Alger, Bugeaud et sa casquette, Abd-el-Kader et sa smala capturés par Joinville, révolte des cipayes aux Indes, guerre au Tonkin, occupation de Tombouctou par Joffre, lutte contre les Boers, campagne de Madagascar... On s'apitoie sur Flatters, massacré par les Touaregs, sur Rivière, assassiné par les Pavillons Noirs. On célèbre Francis Garnier, qui prend d'assaut Hanoï. On répète les noms des téméraires qui explorent les forêts, les lacs, les fleuves africains... On admire Mac-Clure, Dumont d'Urville, Shackleton et tous ceux qui essaient d'atteindre les pôles. Des jeunes gens, incorporés pour sept ans, font leur service militaire au bout du monde : zouaves, marsouins, marins; de retour à leur ferme, à leur bourg, à leur port, ils racontent de belles et ensorcelantes histoires, pleines d'atolls, de rizières, de bambous, de lianes, de fleurs étranges, de fauves, de femmes jaunes ou noires, de peuplades aux rites curieux... Ils parlent aussi des fièvres, des fatigues endurées, des zagaies meurtrières, des marches suffocantes sous le soleil. A leur insu, ils propagent l'esprit d'aventure : Cochinchine, Madagascar, Sénégal, Niger, Dahomey... vocables lourds d'images exotiques, d'imprévu exaltant. Parfois, les puissances coloniales s'affrontent. Ces incidents diplomatiques mettent à la mode des pays dont les noms chantent : Tahiti, Fachoda, Agadir, au début du xxe siècle.

Vers la même époque, à partir de 1840, les pionniers américains poussent droit vers l'ouest, en une marche inlassable; franchissant l'étendue des prairies et des sables, les cañons des Rocheuses et les fleuves immenses, combattant les tribus peaux-rouges, ils atteignent la Californie, le pays du ciel pur et de l'or. Bien loin vers le septentrion, d'autres parcourent les déserts canadiens, l'Alaska. Toute une littérature, inspirée de Fenimore Cooper se façonne, exaltant de façon simpliste la vie des squatters, des chercheurs de métal ou de fourrures. Elle engendre une traînée d'images qui deviennent rituelles : cow-boy faisant tournoyer le lasso, Apaches emplumés, galopant en cercle sur leurs mustangs autour d'un campement de voyageurs, bagarres dans un saloon, scènes de massacres, de lynchage, de tortures, paysages farouches...[1] Les éléments des futurs westerns se constituent. Deux tragédies : la guerre de Sécession, Nord contre Sud, les bleus contre les gris, puis vers 1875 les dernières luttes indiennes (Cochise, Géronimo, le massacre des Navajos) cristallisent, en fin de siècle, sur les USA l'attention des Français. Le Nouveau Monde devient le pays de l'aventure.

Une mode littéraire fait s'épanouir le thème de l'aventure. A la suite de Walter Scott, les romantiques sacrifient au roman historique : leur intérêt pour le passé, leur recherche du pittoresque, leur goût pour un pathétique obtenu à peu de frais les incitent à présenter des événements violents : guerres, révolutions, expéditions audacieuses, conspirations... Les ouvrages de ce genre, quand ils se moquent de l'exactitude et de la vraisemblance, se rapprochent des romans d'aventure. Balzac et Hugo, chacun dans son style, font revivre l'épopée chouanne; Mérimée peint le drame de la Saint-Barthélemy; Vigny restitue, à sa manière, le complot de Cinq-Mars; Gautier, dans *Le capitaine Fracasse*, campe un gentilhomme gascon sous

---

1. L'expédition du Mexique (1862-1867) mit les Français en contact avec le monde américain, que Chateaubriand leur avait révélé dans *Atala* (1801).

Le thème de l'aventure

Louis XIII, Erckmann et Chatrian mettent en scène des patriotes alsaciens sous la Révolution et l'Empire; Anatole France donne une image expressive et cruelle de la Terreur (*Les dieux ont soif*).

ROMAN D'AVENTURE, ROMAN POPULAIRE.

Le thème de l'aventure, à l'étroit sur la scène, s'accommode des libertés propres au roman. Par sa simplicité, ses effets grossiers, l'appel à l'imagination et aux sentiments primitifs, il touche un public étendu, peu délicat. Lancé par des écrivains de génie, dès le milieu du XIXe siècle, il a tendance à se dégrader, comme s'il cédait à la pression de ses lecteurs.

Le roman d'aventure prend trois formes :

1. *La forme exotique :* en 1801, *Atala* met à la mode les Muscogulges et leur poteau de tortures, les nuits de Floride, les navigations en pirogue et les belles Indiennes qui meurent d'aimer... Peu après, Fenimore Cooper conte la pathétique histoire du dernier des Mohicans.

D'autres auteurs, aventuriers à peine assagis, G. Aimard, G. Ferry, Mayne Reid, Curwood... narrent des aventures romanesques, riches en péripéties, qui mettent en scène coureurs des bois, trappeurs, Indiens féroces ou magnanimes, hidalgos ruinés, hors-la-loi. Ils évoquent les splendeurs sauvages de la Sonora, du Nouveau-Mexique, de l'Arkansas, le Colorado, les rives de la baie d'Hudson, accrochant leurs intrigues autour de quelques thèmes inépuisables : indépendance du Texas, marche vers le Far West, découverte des placers aurifères, luttes, aux frontières sans cesse mouvantes, entre cavaliers américains et Peaux-Rouges... A la fin du siècle, Jack London révèle aux Français le Grand Nord des Esquimaux, des kayacs, des chiens-loups hurlant dans le blizzard.

A partir de 1880, avec Louis Boussenard et Paul d'Ivoi, le roman d'aventures exotiques, dont l'aire géographique se limitait à l'Amérique du Nord, cherche sa matière dans l'univers entier. Triplex défie les Anglais en Égypte, Lavarède fait le tour du monde avec cinq sous en poche, Friquet, le gamin de Paris, rencontre l'aventure par tous les continents, sur toutes les mers. L'aventure, en effet, devient maritime. On ressuscite les pirates du Pacifique, les flibustiers de la Tortue. Trognes à bandeau, abordages, orgies, pillages, pendaisons, pavillon noir promené à la barbe des marines royales, voilà une substance abondante, riche en émotions fortes, un peu suspecte aux yeux des gens convenables : elle a des relents libertaires [1].

L'aventure sur mer possède ses lettres de noblesse. En 1838, en offrant au *Siècle* son *Capitaine Paul* (une histoire de forban narrée avec humour), Dumas valait au journal cinq mille abonnés. Mérimée dans *Tamango*, conte une mutinerie d'esclaves à bord d'un négrier, Balzac mêle un épisode de corsaires aux aventures de *La femme de trente ans*. Stevenson, avec *L'île au trésor*, écrit le classique du genre... De nos jours, quel parti le cinéma et les feuilletons télévisés ne tirent-ils pas de ces actions héroïques et brutales!

2. *Le roman de cape et d'épée*, fils abâtardi du roman historique. Alexandre Dumas le crée, avec *Les trois mousquetaires*, sous la monarchie de juillet. Il sait donner la vie, l'apparence de la vérité à des personnages vaguement historiques ou inventés. Ce ne sont qu'intrigues politiques et galantes, duels, complots, actes de bravoure. D'intrépides mousquetaires, des gentilshommes sans reproche et sans peur, des opprimés sympathiques et ténébreux sauvent des reines, punissent des traîtres, déjouent les noires machinations des puissants, sauvent ou renversent des trônes, modifient dans l'ombre le cours de l'histoire. Ils s'appellent Bussy, Chicot, d'Artagnan, le chevalier de Maison-Rouge, Monte-Cristo, Joseph Balsamo... C'est la France déchirée du XVIᵉ siècle, la France rebelle de Richelieu, frondeuse sous Mazarin, la France révolutionnaire ou écrasée par la Terreur Blanche... Le genre plaît au public populaire qui aime s'identifier avec l'ancienne noblesse brave, chevaleresque, indisciplinée. Paul Féval Père et Fils, Amédée Achard, ses successeurs, ont assez de talent pour imposer leurs héros, Lagardère, M. de la Guerche, grands bretteurs à panache et cavaliers courtois. Le rythme accéléré des aventures, une couleur historique fallacieuse, mais chatoyante, un entrain tonique font oublier les invraisemblances, la pauvreté psychologique, la confusion de l'intrigue.

3. Ces deux formes du roman d'aventure répondent à des fins identiques : favoriser le besoin d'évasion que porte en lui tout lecteur, jeune ou âgé, las de la vie quotidienne et incapable

---

1. Cf. G. Lapouge, *Les pirates, op. cit.*

de s'intéresser aux œuvres denses. Elles interfèrent avec une troisième catégorie d'ouvrages de même nature, moins tumultueux, spécifiquement populaires : ils expriment en effet, par le biais de l'aventure, la protestation des misérables.

Roman d'aventure *d'inspiration sociale* : l'intrigue se situe à Paris ou dans une grande ville; son rôle est non seulement d'amuser par son allure mélodramatique (batailles, bagarres, trahisons, empoisonnements, évasions...) mais aussi de réagir, à voix basse, contre l'injustice ou l'inégalité. Sa technique est analogue aux procédés habituels des genres précédents : tous les épisodes se concentrent autour d'un héros magnanime, redresseur de torts, en lutte contre une organisation sociale inique. Il lui arrive d'employer des moyens illégaux, d'user de violence. Qu'importe, s'il sauve l'orpheline persécutée ou rabaisse l'orgueil des grands! Ce genre naît en même temps que le roman de cape et d'épée. Comme lui, bénéficiant d'une large audience, il paraît en feuilletons dans *Les débats*, *La presse* d'Émile de Girardin, dans *Le siècle* d'Edmond Dutacq — avant d'être publié en volumes. Les plus grands : Balzac, Hugo, Dumas sacrifient à cette vogue qui répond à de profondes aspirations chez le public.

En effet, ce roman de la protestation fleurit à deux reprises de 1838 à 1848 et de 1859 à 1870 [1]. Ce sont des périodes relativement stables, où s'imposent la bourgeoisie et le monde des affaires. M. Prudhomme est roi, avec ses bajoues et sa sotte suffisance. Un pouvoir fort soutient les nantis, se fait le champion d'une morale étriquée, oppressive... Mais la production littéraire est peu contrôlée. Chaque fois, la protestation des humbles se fait entendre dans les caricatures de Daumier, de Gavarni, d'Henri Monnier, dans des articles satiriques (« la Lanterne » d'Henri Rochefort), surtout sous forme d'affabulations. Pauvre revanche des canuts massacrés à Lyon, des fusillés de la rue Transnonnain ou du 2 décembre, des mineurs d'Anzin victimes de la douloureuse transformation d'une société artisanale en monde industriel.

1838-1848 : l'aventure littéraire, c'est la revanche fictive du faible bernant le fort (ainsi les fabliaux montraient le vilain dupant son seigneur); c'est aussi un appel à la pitié, un sombre

---

1. Ce chapitre s'inspire des conclusions que développe M. Jacques Goimard dans un excellent article : « Le roman populaire peut-il renaître? », *Le Monde*, 25 juillet 1970.

tableau de la misère des humbles : les doctrines socialistes, qui commencent à foisonner, colorent discrètement l'intrigue. Faut-il citer des titres ? *Les mémoires du diable* de Frédéric Soulier, que publient *Les débats* en 1838, — *Les mystères de Paris, Le Juif errant,* d'Eugène Sue, *Splendeurs et misères des courtisanes* (Balzac), *Le comte de Monte-Cristo* (Dumas), *Les mystères de Londres* (Paul Féval), *Les nuits du Père-Lachaise* (Léon Gozlan)... En ce temps-là, Hugo ébauche *Les misères,* qui, quinze ans plus tard, deviendront *Les misérables.*

1859-1870 : Les misérables sont publiés en 1864, suivis d'œuvres de moindre envol, mais également significatives : *Rocambole* (Ponson du Terrail), *Les habits noirs* (P. Féval, 1863-1876), *Les invisibles de Paris* (G. Aimard), *L'auberge du monde* (Hector Malot), *Les mystères de Marseille* (Émile Zola...) Plus question de coups d'épée, d'intrigues à la cour, de belles dames sous des charmilles, de cavaliers caracolant... L'histoire se déroule dans les ruelles, les terrains vagues, aux lisières des faubourgs, elle s'égare dans les bas-fonds. Le héros peut être encore un grand seigneur, tel Rodolphe, mais il s'habille en ouvrier, parle argot, se bat avec des voyous, à coups de poing. Le plus souvent, c'est un homme du peuple au grand cœur (Jean Valjean) ou un hors-la-loi diabolique (Rocambole). En tout cas, ce roman de la protestation disparaît, quand le pouvoir procède à une reprise en main des masses populaires : Cavaignac et les sanglantes journées de juin 1848, la prise de Paris par les Versaillais en mai 1871.

Dans les dernières années du siècle, le progrès des sciences aidant, le roman d'aventure prend une autre direction : il se transforme en œuvre d'anticipation avec Wells (*L'homme invisible*) et Jules Verne qui envoie ses héros autour de la lune, sous la mer, au centre de la terre... Il a même des prétentions didactiques, vulgarisant les découvertes de la technique ou les anticipant (Jules Verne « invente » le Nautilus du capitaine Nemo, l'obus-fusée de Barbicane...). Comme il promène ses héros dans tous les pays, sous toutes les latitudes, il renoue avec la tradition exotique; non content de décrire, il s'attarde en digressions sur les habitants, la géographie, la flore, le climat, la faune, les particularités du lieu de l'action. Mais l'aventure perd son dynamisme, elle se résorbe, elle est noyée sous de savantes considérations.

● **Westerns**

LES ROBINSONS DE LA SAVANE

> Atala, une Muscogulge, s'est éprise de Chactas, qui appartient à la tribu ennemie des Natchez. Elle permet à son amant, captif, de s'évader. Les deux jeunes gens s'enfuient vers le nord et mènent, dans des « solitudes démesurées », la vie hasardeuse, mais exaltante que connut Robinson.

Atala me fit un manteau avec la seconde écorce du frêne, car j'étais presque nu. Elle me broda des mocassins de peau de rat musqué, avec du poil de porc-épic. Je prenais soin à mon tour de sa parure. Tantôt, je lui mettais sur la tête une couronne de ces mauves bleues que nous trouvions sur notre route dans des cimetières indiens abandonnés ; tantôt je lui faisais des colliers avec des graines rouges d'azalea ; et puis, je me prenais à sourire en contemplant sa merveilleuse beauté.

Quand nous rencontrions un fleuve, nous le passions sur un radeau ou à la nage. Atala appuyait une de ses mains sur mon épaule, et, comme deux cygnes voyageurs, nous traversions ces ondes solitaires. Souvent, dans les grandes chaleurs du jour, nous cherchions un abri sous les mousses des cèdres. Presque tous les arbres de la Floride, en particulier le cèdre et le chêne vert, sont couverts d'une mousse blanche qui descend de leurs rameaux jusqu'à terre. Quand la nuit, au clair de lune, vous apercevez, sur la nudité d'une savane, une yeuse isolée revêtue de cette draperie, vous croiriez voir un fantôme traînant après lui ses longs voiles. La scène n'est pas moins pittoresque au grand jour, car une foule de papillons, de mouches brillantes, de colibris, de perruches vertes, de geais d'azur, vient s'accrocher à ces mousses, qui produisent alors l'effet d'une tapisserie en laine blanche où l'ouvrier européen aurait brodé des insectes et des oiseaux éclatants.

C'était dans ces riantes hôtelleries, préparées par le grand Esprit, que nous nous reposions à l'ombre. Lorsque les vents descendaient du ciel pour balancer ce grand cèdre, que le château aérien bâti sur ses branches allait flottant avec les oiseaux et les voyageurs endormis sous ses abris, que mille soupirs sortaient des corridors et des voûtes du mobile édifice, jamais les merveilles de l'ancien monde n'ont approché de ce monument du désert.

Chateaubriand, *Atala*, Les chasseurs.

Deux fugitifs, traqués par leurs compatriotes, s'adaptent à la vie du désert, renouvelant l'expérience de Robinson.
— L'aventure est colorée par une idylle. Relever les détails qui montrent l'admiration de Chactas pour Atala, la sollicitude que lui porte sa compagne. L'amour aide les jeunes gens à supporter les épreuves et leur enseigne la solidarité.
— Une philosophie finaliste, héritage de Bernardin de Saint-Pierre, oriente le récit, détermine les moyens d'expression. La Providence procure à l'homme tout ce dont il a besoin (*Atala*, fragment détaché du *Génie du christianisme*). La nature maternelle remplace avantageusement la civilisation. Elle fournit à l'être abandonné le nécessaire : vêtement, abri (plus loin, nourriture) et le superflu : parure, luxe.
— Cette page est plus un hymne à la nature qu'un récit. Outre le tableau gracieux des adolescents traversant le fleuve à la nage, remarquer la façon d'utiliser un détail typique du paysage floridien : les mousses qui pendent des arbres comme des tapisseries — l'évocation d'un monde poétique d'oiseaux, d'insectes —, enfin, la vision fantastique et paradisiaque de la demeure aérienne, bercée par les vents.

UN WESTERN D'AUTREFOIS

L'intrigue se déroule au XVIIIᵉ siècle, pendant la guerre de Sept Ans. Les Français de Montcalm luttent contre les Anglais qui tentent de conquérir le Québec. Les tribus peaux-rouges prennent le parti de l'un ou de l'autre

camp. Le major britannique Duncan essaie de forcer
le blocus du fort William, situé sur les bords du lac George.
Cora et Alice, les deux filles de Munro, qui commande
le fort, se sont jointes à Duncan pour rejoindre leur père.
Trahie par son guide huron, la petite troupe est recueillie
par un chasseur blanc, Œil-de-Faucon, et ses deux compagnons, des Mohicans. Ils se réfugient ensemble dans une
île de l'Hudson, près des chutes du Glenn. Plusieurs
Hurons, leurs ennemis, s'abandonnant au courant, réussis-
sent à prendre pied sur l'îlot.

Quand les sauvages se mirent à gravir les rochers
qu'ils avaient réussi à gagner, et qu'en poussant des
cris féroces, ils commencèrent à avancer vers l'intérieur de l'île, le fusil du chasseur se leva lentement
du milieu des pins; le coup partit et l'Indien qui marchait le premier, faisant un bond comme un daim
blessé, fut précipité du haut des rochers.

« Maintenant, Uncas [1], dit le chasseur, les yeux
étincelants d'ardeur, tirant son grand couteau,
attaquez celui de ces coquins qui est le plus éloigné ;
nous aurons soin des deux autres. »

Uncas s'élança pour obéir ; chacun n'avait qu'un
ennemi à combattre. Heyward [2] avait donné au chasseur
un de ses pistolets ; ils firent feu tous deux dès qu'ils
furent à portée, mais sans plus de succès l'un que
l'autre. « Je le savais, je vous le disais, s'écria le
chasseur, en jetant avec dédain par-dessus les rochers
l'instrument qu'il méprisait. Arrivez, chiens de l'enfer,
arrivez ! vous trouverez un homme dont le sang n'est
pas croisé. » A peine avait-il prononcé ces mots
qu'il se trouva en face d'un sauvage d'une taille gigantesque et dont les traits annonçaient la férocité :
Duncan, au même instant, se trouvait attaqué par
le second. Le chasseur et son adversaire se saisirent
avec une adresse égale par celui de leurs bras qui
était armé du couteau meurtrier. Pendant une minute,
ils se mesurèrent des yeux, chacun d'eux faisant des

---

1. Le plus jeune des Mohicans.
2. Le major anglais Duncan.

efforts inouïs pour dégager son bras sans lâcher celui de son adversaire. Enfin, les muscles robustes et endurcis du blanc [1] l'emportèrent sur les membres moins exercés de son antagoniste. Le bras de celui-ci céda aux efforts redoublés d'Œil-de-Faucon qui recouvra enfin l'usage de sa main droite ; il plongea l'arme acérée dans le cœur de son adversaire qui tomba sans vie à ses pieds.

Pendant ce temps, Heyward avait à soutenir une lutte encore plus dangereuse. Dès sa première attaque, son épée avait été brisée par un coup du redoutable couteau de son ennemi ; comme il n'avait aucune autre arme défensive, il ne pouvait plus compter que sur sa vigueur et sur la résolution du désespoir. Mais, il avait affaire à un antagoniste qui ne manquait ni de force ni de courage. Heureusement, il réussit à le désarmer, son couteau tomba sur le rocher, et de ce moment, il ne fut plus question que de savoir lequel des deux parviendrait à en précipiter l'autre. Chaque effort qu'ils faisaient les approchait du bord de l'abîme ; Duncan vit que l'instant était arrivé où il fallait déployer toutes ses forces pour sortir vainqueur de ce combat. Mais, le sauvage était également redoutable ; tous deux n'étaient plus qu'à deux pas du précipice au bas duquel les eaux de la rivière s'engloutissaient. Heyward avait la gorge serrée par la main de son adversaire ; il voyait sur ses lèvres un sourire féroce qui semblait annoncer qu'il consentait à périr s'il pouvait entraîner son ennemi dans sa ruine ; il sentait que son corps cédait peu à peu à une force supérieure de muscles et il éprouvait l'angoisse d'un pareil moment dans toute son horreur. En cet instant d'extrême danger, il vit paraître entre le sauvage et lui un bras rouge et la lame brillante d'un couteau : l'Indien lâcha prise tout à coup : des flots de sang jaillissaient de sa main qui venait d'être coupée, et tandis que le bras sauveur d'Uncas tirait Heyward en arrière, son pied précipita dans

---

1. Œil-de-Faucon.

l'abîme le farouche ennemi, dont les regards étaient encore menaçants.

« En retraite ! en retraite ! cria le chasseur, qui venait alors de triompher de son adversaire ; en retraite ! Votre vie en dépend. Il ne faut pas croire que ce soit une affaire terminée. » Le jeune Mohican poussa un grand cri de triomphe, suivant l'usage de sa nation, et les trois vainqueurs, descendant du rocher, retournèrent au poste qu'ils occupaient avant le combat.

Fenimore Cooper [1], *Le dernier des Mohicans*, Laffont, 1960, trad. Yves Rivière- ch. 5.

● Deux histoires de cape et d'épée

MOUSQUETAIRES NOIRS CONTRE MOUSQUETAIRES GRIS

Un jeune cadet de Gascogne, d'Artagnan, est venu chercher fortune à Paris. Par étourderie, il s'est pris de querelle avec trois mousquetaires de Louis XIII, Athos, Porthos, Aramis. Rendez-vous est fixé, mais au moment de dégainer surviennent des gardes du cardinal de Richelieu chargés de faire respecter l'édit qui interdit les duels. Jussac les commande ; parmi eux, deux bretteurs célèbres, Cahusac et Bicarat. Le combat est inégal, mais les mousquetaires et d'Artagnan, réconciliés, décident de faire front.

— Et quel parti prenez-vous? demanda Jussac. — Nous allons avoir l'honneur de vous charger, répondit

---

1. Fenimore Cooper (James), romancier américain, né à Burlington (New Jersey) en 1789, mort à Cooperstown (New York) en 1851. Renvoyé du collège de Yale, il s'engage dans la marine, puis devient fermier. Il écrivit *L'espion* (1821), puis trente-deux romans dont le chef-d'œuvre est *Le dernier des Mohicans*. Il est le premier écrivain américain qui ait introduit la forêt vierge et les Grands Lacs dans le domaine du roman. Il a écrit avec *Le corsaire rouge* l'épopée en prose des débuts héroïques de sa nation.

2. Les Mousquetaires noirs (couleur de leur uniforme) sont ceux du roi, les autres ceux de Richelieu.

Aramis, en levant son chapeau d'une main et tirant son épée de l'autre. — Ah ! vous résistez ! s'écria Jussac. — Sangdieu ! cela vous étonne? Et les neuf combattants se précipitèrent les uns sur les autres, avec une furie qui n'excluait pas une certaine méthode. Athos prit un certain Cahusac, favori du cardinal ; Porthos eut Bicarat, et Aramis se vit en face de deux adversaires. Quant à d'Artagnan, il se trouva lancé contre Jussac lui-même. Le cœur du jeune garçon battait à lui briser la poitrine, non pas de peur, Dieu merci, il n'en avait pas l'ombre, mais d'émulation ; il se battait comme un tigre en fureur, tournant dix fois autour de son adversaire, changeant vingt fois ses gardes et son terrain. Jussac était, comme on le disait alors, friand de la lame, et avait fort pratiqué ; cependant, il avait toutes les peines du monde à se défendre contre un adversaire qui, agile et bondissant, s'écartait à tout moment des règles reçues, attaquant de tous côtés à la fois, et tout cela en parant en homme qui a le plus grand respect pour son épiderme.

Enfin cette lutte finit par faire perdre patience à Jussac. Furieux d'être tenu en échec, par celui qu'il avait regardé comme un enfant, il s'échauffa et commença à faire des fautes. D'Artagnan, qui, à défaut de la pratique, avait une profonde théorie, redoubla d'agilité. Jussac, voulant en finir, porta un coup terrible à son adversaire en se fendant à fond ; mais celui-ci para prime, et tandis que Jussac se relevait, se glissant comme un serpent sous son fer, il lui passa son épée au travers du corps. Jussac tomba comme une masse.

D'Artagnan jeta alors un coup d'œil inquiet et rapide sur le champ de bataille. Aramis avait déjà tué un de ses adversaires ; mais l'autre le pressait vivement. Cependant, Aramis était en bonne situation et pouvait encore se défendre. Bicarat et Porthos venaient de faire coup fourré. Porthos avait reçu un coup d'épée au travers du bras, et Bicarat au tra-

---

1. Athos avait été blessé précédemment au cours d'une échauffourée.

vers de la cuisse. Mais comme ni l'une ni l'autre des deux blessures n'était grave, ils ne s'en escrimaient qu'avec plus d'acharnement. Athos, blessé de nouveau par Cahusac, pâlissait à vue d'œil, mais il ne reculait pas d'une semelle : il avait seulement changé son épée de main et se battait de la main gauche.

D'Artagnan, selon les lois du duel de cette époque, pouvait secourir quelqu'un ; pendant qu'il cherchait du regard celui de ses compagnons qui avait besoin de son aide, il surprit un coup d'œil d'Athos. Ce coup d'œil était d'une éloquence sublime. Athos serait mort plutôt que d'appeler au secours ; mais il pouvait regarder, et du regard demander un appui. D'Artagnan le devina, fit un bond terrible, et tomba sur le flanc de Cahusac en criant : « A moi, monsieur le garde, je vous tue ! » Cahusac se retourna ; il était temps. Athos, que son extrême courage soutenait seul, tomba sur un genou.

Alexandre Dumas, *Les trois mousquetaires*, I, 5.

L'AVENTURE A PANACHE

La scène se passe au théâtre de l'hôtel de Bourgogne où Cyrano de Bergerac a chassé de la scène l'acteur Montfleury, et, en présence de Richelieu, blessé en duel le vicomte de Valvert. Il apprend que cent hommes sont embusqués à la porte de Nesle, pour attaquer son ami Lignière, poète satirique.

CYRANO

Cent hommes, l'as-tu dit? Tu coucheras chez toi !

LIGNIÈRE, *épouvanté.*

Mais...

CYRANO, *d'une voix terrible, lui montrant la lan-*

terne allumée que le portier balance en écoutant curieusement cette scène.

Prends cette lanterne !...

(*Lignière saisit précipitamment la lanterne.*)
Et marche ! Je te jure

Que c'est moi qui ferai ce soir ta couverture !...

(*Aux officiers*).

Vous, suivez à distance, et vous serez témoins !

CUIGNY

Mais cent hommes !...

CYRANO

Ce soir, il ne m'en faut pas moins !

(*Les comédiens et les comédiennes, descendus de scène se sont rapprochés dans leurs divers costumes.*)

LE BRET

Mais pourquoi protéger...

CYRANO

Voilà Le Bret qui grogne !

LE BRET

Cet ivrogne banal?...

CYRANO, *frappant sur l'épaule de Lignière.*

Parce que cet ivrogne
Ce tonneau de muscat, ce fût de rossoli,
Fit quelque chose un jour, de tout à fait joli :
Au sortir d'une messe, ayant, selon le rite,
Vu celle qu'il aimait prendre de l'eau bénite,
Lui que l'eau fait sauver courut au bénitier,
Se pencha sur sa conque et le but tout entier !...

UNE COMÉDIENNE, *en costume de soubrette.*

Tiens c'est gentil, cela !

CYRANO

N'est-ce pas, la soubrette?

LA COMÉDIENNE (*aux autres*).

Mais pourquoi sont-ils cent contre un pauvre poète?

CYRANO

Marchons !

(*Aux officiers*)

Et vous, messieurs, en me voyant charger,
Ne me secondez pas, quel que soit le danger !

UNE AUTRE COMÉDIENNE, *sautant de la scène*.

Oh ! mais, moi, je vais voir !

CYRANO

Venez !

UNE AUTRE, *sautant aussi, à un vieux comédien*.

Viens-tu, Cassandre?

CYRANO

Venez tous, le Docteur, Isabelle, Léandre,
Tous ! Car vous allez joindre, essaim charmant et fol,
La farce italienne à ce drame espagnol,
Et, sur son ronflement tintant un bruit fantasque,
L'entourer de grelots comme un tambour de basque !...

TOUTES LES FEMMES, *sautant de joie*.

Bravo ! Vite, une mante ! — Un capuchon !

JODELET

Allons !

CYRANO *aux violons*

Vous nous jouerez un air, messieurs les violons !

(*Les violons se joignent au cortège qui se forme. On s'empare des chandelles allumées de la rampe et on se les distribue. Cela devient une retraite aux flambeaux*.)

Cl. Roger-Viollet.

L'aventure à panache : Gérard Philipe dans Fanfan la Tulipe *de Christian Jacques.*

Bravo ! des officiers, des femmes en costume,
Et, vingt pas en avant...,

> (*Il se place comme il dit.*)

           moi, tout seul, sous la plume
Que la gloire elle-même à ce feutre piqua,
Fier comme un Scipion triplement Nasica !...
C'est compris? Défendu de me prêter main-forte !
On y est?... Un, deux, trois ! Portier, ouvre la porte !

(*Le portier ouvre à deux battants. Un coin du vieux Paris pittoresque et lunaire paraît.*)

Ah !... Paris fuit, nocturne et quasi nébuleux ;
Le clair de lune coule aux pentes des toits bleus ;
Un cadre se prépare, exquis, pour cette scène ;
Là-bas, sous des vapeurs en écharpe, la Seine,
Comme un mystérieux et magique miroir,
Tremble... Et vous allez voir ce que vous allez voir !

TOUS

A la porte de Nesle !

CYRANO, *debout sur le seuil.*

A la porte de Nesle !

(*Se retournant avant de sortir, à la soubrette.*)

Ne demandiez-vous pas pourquoi, mademoiselle,
Contre ce seul rimeur cent hommes furent mis?

(*Il tire l'épée, et tranquillement.*)

C'est parce qu'on savait qu'il est de mes amis !

(*Il sort. Le cortège — Lignière zigzaguant en tête...
Puis les comédiennes aux bras des officiers..., puis
les comédiens gambadant — se met en marche dans la
nuit au son des violons et à la lueur falote des chandelles.*)

Edmond Rostand, *Cyrano de Bergerac*,
Acte I, scène 7, Fasquelle, 1930.

● **L'aventure guerrière**

HÉROISME D'UN CONSCRIT

> Un jeune paysan originaire de l'Yonne, Jean-Roch Coignet a été appelé sous les drapeaux par la conscription en 1800. A peine instruit, il part avec son unité rejoindre l'armée du premier Consul qui se concentre dans le Valais, franchit le Grand-Saint-Bernard, au prix d'incroyables fatigues. La deuxième campagne d'Italie commence. Dès le premier combat, le conscrit va accomplir un exploit qui lui donnera une flatteuse réputation. Alors, prisonnier de son acte héroïque, il sera tenu d'affronter des épreuves de plus en plus périlleuses, pendant quinze ans.

Nous redescendîmes sur le Pô. Là, les Autrichiens s'emparèrent des hauteurs avant d'arriver à Montebello [1]. Leur artillerie ravageait toutes nos troupes qui montaient, et il fallut faire marcher la 24e et la 43e demi-brigade pour être maître de ces positions. Enfin le général Lannes les renversa sur Montebello et les poursuivit jusqu'à la nuit. Le lendemain, il leur souhaitait le bonjour, et notre demi-brigade occupa les hauteurs qui coûtèrent tant de peine à prendre, vu qu'ils étaient le double de nous. Nous partîmes le matin pour suivre le mouvement de cette grosse avant-garde, et on nous plaça à une demi-lieue en arrière de Montebello, dans une belle plantation de mûriers, dans une allée très large. On nous fit former les faisceaux par bataillon.

Nous en étions à nous régaler de mûres (les arbres en étaient chargés), lorsque sur les onze heures nous entendîmes la canonnade. Nous la croyions très loin. Pas du tout ! Elle se rapprochait de nous. Il arriva un aide de camp pour nous faire avancer le plus vite possible. Le général était forcé de tous côtés. « Aux armes ! dit notre colonel, allons, mon brave régiment !

---

1. Commune lombarde, province de Pavie. Là, le général Lannes battit les Autrichiens d'Ott le 12 juin 1800.

c'est notre tour aujourd'hui de nous signaler ! »
Et nous de crier : « Vive notre colonel, vivent nos bons
officiers ! » Notre capitaine, avec ses cent soixante-
quatorze grenadiers, dit : « Je réponds de ma compagnie. Je serai le premier à la tête. »

On nous met par sections sur la route, on nous fait
charger nos armes en marchant, et c'est là que je mis
ma première cartouche dans mon fusil. Je fis le signe
de croix avec ma cartouche et elle me porta bonheur.
Nous arrivons à l'entrée du village de Montebello
où nous voyons beaucoup de blessés, et voilà la charge
qui bat...

Je me trouvai à la première section, au troisième
rang, par mon rang de taille. En sortant du village
une pièce de canon fit feu à mitraille sur nous et ne
fit de mal à personne. Je baissai la tête à ce coup
de canon. Mais mon sergent-major me donne un coup
de sabre sur mon sac : « On ne baisse pas la tête !
me dit-il. — Non ! » lui répondis-je. Le coup parti
de cette pièce, le capitaine Merle crie pour prévenir
le second coup : « A droite et à gauche dans les fossés ! »

Comme je n'avais pas entendu le commandement
de mon capitaine, je me trouvais tout à fait à découvert. Je cours sur la pièce, je dépasse nos tambours
et tombe sur les canonniers. Comme ils finissaient
de charger, ils ne me virent pas ; je les passai à la
baïonnette tous les cinq. Et moi de sauter sur la pièce
et mon capitaine de m'embrasser en passant ! Il
me dit de garder ma pièce, ce que je fis, et nos batail-
lons se jetèrent sur l'ennemi. C'était un carnage à la
baïonnette, avec des feux de peloton ; les hommes de
notre demi-brigade étaient devenus des lions.

(Le général Berthier vient à passer, le félicite de sa
bravoure : le soir même, le conscrit est présenté
à Bonaparte.)

Les Cahiers du capitaine Coignet, Éd.
de la Renaissance. Paris, 1967.

L'AVENTURE D'UN REVENANT

Le colonel Chabert, comte d'Empire, officiellement, est mort à la bataille d'Eylau (8 février 1807). Neuf ans plus tard, un vieillard à l'aspect étrange, se présente chez un légiste célèbre, M. Derville : il prétend qu'il est le disparu. Son épouse s'est remariée, héritant de sa fortune. Désireux de recouvrer légalement son identité, sa femme et ses biens, l'homme raconte son étrange histoire.

Commandant un régiment de cavalerie, il a été grièvement blessé au cours de la charge menée par Murat, qui décida de la victoire. Deux chirurgiens examinèrent son corps et constatèrent son décès.

(...) Mon cheval avait reçu un boulet dans le flanc au moment où je fus blessé moi-même. La bête et le cavalier s'étaient donc abattus comme des capucins de cartes. En me renversant soit à droite, soit à gauche, j'avais été sans doute couvert par le corps de mon cheval, qui m'empêcha d'être écrasé par les chevaux, ou atteint par des boulets. Lorsque je revins à moi, Monsieur, j'étais dans une position et dans une atmosphère dont je ne vous donnerais pas une idée en vous en entretenant jusqu'à demain. Le peu d'air que je respirais était méphitique. Je voulus me mouvoir et ne trouvai point d'espace. En ouvrant les yeux, je ne vis rien. La rareté de l'air fut l'accident le plus menaçant, et qui m'éclaira le plus vivement sur ma condition. Je compris que là où j'étais, l'air ne se renouvelait point et que j'allais mourir. Cette pensée m'ôta le sentiment de la douleur inexprimable par laquelle j'avais été réveillé. Mes oreilles tintèrent violemment. J'entendis, ou je crus entendre, je ne veux rien affirmer, des gémissements poussés par le monde de cadavres au milieu duquel je gisais. Quoique la mémoire de ces moments soit bien ténébreuse, quoique mes souvenirs soient bien confus, malgré les impressions de souffrances encore plus profondes que je devais éprouver et qui ont brouillé mes idées, il y a des nuits où je crois encore entendre ces soupirs étouffés ! Mais il y a eu quelque

chose de plus horrible que les cris, un silence que je
n'ai jamais retrouvé nulle part, le vrai silence du
tombeau. Enfin, en levant les mains, en tâtant les
morts, je reconnus un vide entre ma main et le fumier
humain supérieur. Je pus donc mesurer l'espace qui
m'avait été laissé par un hasard dont la cause m'était
inconnue. Il paraît que, grâce à l'insouciance ou à la
précipitation avec laquelle on nous avait jetés pêle-
mêle, deux morts s'étaient croisés au-dessus de moi
de manière à décrire un angle semblable à celui de
deux cartes mises l'une contre l'autre par un enfant
qui pose les fondements d'un château. En furetant
avec promptitude, car il ne fallait pas flâner, je ren-
contrai fort heureusement un bras qui ne tenait à
rien, le bras d'un hercule ! un bon os auquel je dus
mon salut. Sans ce secours inespéré, je périssais !
Mais, avec une rage que vous devez concevoir, je
me mis à travailler les cadavres qui me séparaient
de la couche de terre sans doute jetée sur nous —
je dis nous, comme s'il y eût des vivants ! J'y allais
ferme, Monsieur, car me voici ! Mais je ne sais pas
aujourd'hui comment j'ai pu parvenir à percer la
couverture de chair qui mettait une barrière entre
la vie et moi.

(Deux paysans polonais recueillent le moribond
et le transportent à l'hôpital d'Heilsberg où il guérit.)

Honoré de Balzac, *Le Colonel Chabert*.

L'aventure sociale

UN GANGSTER SOUS LA RESTAURATION

A la pension Vauquer vit un étrange et inquiétant personnage, Vautrin. Cet homme se prend d'affection pour
le jeune Rastignac et veut lui faire contracter un riche
mariage, au prix d'un crime. Sur ces entrefaites, il est
dénoncé à la police par Mlle Michonneau qui le soup-

çonne d'être Trompe-la-Mort, forçat évadé, banquier
d'une association de voleurs et bandit redoutable.

Les pensionnaires sont en train de prendre leur repas
à la table d'hôte.

En ce moment, l'on entendit le pas de plusieurs
hommes, et le bruit de quelques fusils que des soldats firent sonner sur le pavé de la rue. Au moment
où Collin [1] cherchait machinalement une issue, en
regardant les fenêtres et les murs, quatre hommes se
montrèrent à la porte du salon. Le premier était le
chef de la police de sûreté, les trois autres étaient des
officiers de paix.

« Au nom de la loi et du roi », dit un des officiers,
dont le discours fut couvert par un murmure d'éton-
nement. Bientôt, le silence régna dans la salle à
manger, les pensionnaires se séparèrent pour livrer
passage à trois de ces hommes, qui tous avaient la
main dans leur poche de côté, et y tenaient un pistolet
armé. Deux gendarmes qui suivaient les agents,
occupèrent la porte du salon, et deux autres se montrèrent à celle qui conduisait vers l'escalier. Le pas
et les fusils de plusieurs soldats retentirent sur le
pavé caillouteux qui longeait la façade. Tout espoir
de fuite fut donc interdit à Trompe-la-Mort, sur
qui tous les regards s'arrêtèrent irrésistiblement.
Le chef alla droit à lui, commença par lui donner
sur la tête une tape si violemment appliquée qu'il
fit sauter la perruque et rendit à la tête de Collin
toute son horreur. Accompagnées de cheveux rouge
brique et courts, qui leur donnaient un épouvantable
caractère de force mêlée de ruse, cette tête et cette
face, en harmonie avec le buste, furent intelligemment
illuminées comme si les feux de l'enfer les eussent
éclairées. Chacun comprit tout Vautrin, son passé,
son présent, son avenir, ses doctrines implacables,
la religion de son bon plaisir, la royauté que lui
donnaient le cynisme de ses pensées, de ses actes,

---

1. Vautrin s'appelle en réalité Collin.

et la force d'une organisation faite à tout. Le sang lui monta au visage et ses yeux brillèrent comme ceux d'un chat sauvage. Il bondit sur lui-même, par un mouvement empreint d'une si féroce énergie, il rugit si bien qu'il arracha des cris de terreur à tous les pensionnaires. A ce geste de lion, et s'appuyant de la clameur générale, les agents tirèrent leurs pistolets. Collin comprit son danger en voyant briller le chien de chaque arme et donna tout à coup la preuve de la plus haute puissance humaine. Horrible et majestueux spectacle ! sa physionomie présenta un phénomène qui ne peut être comparé qu'à celui de la chaudière pleine de cette vapeur fumeuse qui soulèverait des montagnes, et que dissout en un clin d'œil une goutte d'eau froide. La goutte d'eau qui froidit sa rage fut une réflexion rapide comme un éclair Il se mit à sourire et regarda sa perruque. « Tu n'es pas dans tes jours de politesse », dit-il au chef de la police de sûreté. Et il tendit ses mains aux gendarmes en les appelant par un signe de tête. « Messieurs les gendarmes, mettez-moi les menottes ou les poucettes. Je prends à témoin les personnes présentes que je ne résiste pas. » Un murmure admiratif, arraché par la promptitude avec laquelle la lave et le feu sortirent et rentrèrent dans ce volcan humain, retentit dans la salle.

Balzac, *Le Père Goriot.*

UNE HISTOIRE DE BRIGAND

A l'entrée de la gorge, mon cheval hennit, et un autre cheval, que je ne voyais pas, lui répondit aussitôt. A peine eus-je fait une centaine de pas, que la gorge, s'élargissant tout à coup, me montra une espèce de cirque naturel parfaitement ombragé par la hauteur des escarpements qui l'entouraient. Il était impossible de rencontrer un lieu qui promît au voyageur une halte plus agréable. (...)

A moi n'appartenait pas l'honneur d'avoir découvert un si beau lieu. Un homme s'y reposait déjà, et sans doute dormait, lorsque j'y pénétrai. Réveillé par les hennissements, il s'était levé, et s'était approché de son cheval, qui avait profité du sommeil de son maître pour faire un bon repas de l'herbe aux environs. C'était un jeune gaillard, de taille moyenne, mais d'apparence robuste, au regard sombre et fier. Son teint, qui avait pu être beau, était devenu, par l'action du soleil, plus foncé que ses cheveux. D'une main, il tenait le licol de sa monture, de l'autre une espingole [1] de cuivre. J'avouerai que d'abord l'espingole et l'air farouche du porteur me surprirent quelque peu ; mais je ne croyais plus aux voleurs, à force d'en entendre parler et de n'en rencontrer jamais. D'ailleurs, j'avais vu tant d'honnêtes fermiers s'armer jusqu'aux dents pour aller au marché, que la vue d'une arme à feu ne m'autorisait pas à mettre en doute la moralité de l'inconnu. « Et puis, me disais-je, que ferait-il de mes chemises et de mes *Commentaires* Elzévir [2] ? » Je saluai donc l'homme à l'espingole d'un signe de tête familier, et je lui demandai en souriant si j'avais troublé son sommeil. Sans me répondre, il me toisa de la tête aux pieds ; puis, comme satisfait de son examen, il considéra avec la même attention mon guide qui s'avançait. Je vis celui-ci pâlir et s'arrêter en montrant une terreur évidente. « Mauvaise rencontre ! » me dis-je.

Prosper Mérimée, *Carmen.*

UN NIHILISTE EN ACTION

Dans *Germinal*, Zola conte l'histoire d'une grève de mineurs, sinistre, sanglante, épouvantable drame de la misère et de la faim, qui aboutit à un échec. Un nihiliste, exilé de Russie, Souvarine, resté jusqu'alors à l'écart

---

1. Fusil court à canon évasé qu'on chargeait avec des chevrotines.
2. Il s'agit des *Commentaires* de César publiés dans une édition portative à très belle typographie.

du mouvement ouvrier, décide de passer à l'action : le désir de se venger, un anarchisme mystique le font rêver d'un cataclysme qui détruirait l'humanité. Il décide de détruire un puits de mine.

Souvarine, à cheval dans l'ouverture pratiquée par lui, constata une déformation très grave de la cinquième passe du cuvelage. Les pièces de bois faisaient ventre, en dehors des cadres ; plusieurs même étaient sorties de leur épaulement. Des filtrations abondantes, des « pichoux » comme disent les mineurs, jaillissaient des joints au travers du brandissage d'étoupes goudronnées dont on les garnissait. Et les charpentiers, pressés par le temps, s'étaient contenté de poser aux angles des équerres de fer, avec une telle insouciance, que toutes les vis n'étaient pas mises. Un mouvement considérable se produisait évidemment derrière, dans les sables du Torrent.

Alors, avec son vilebrequin, il desserra les vis des équerres, de façon à ce qu'une dernière poussée pût les arracher toutes. C'était une besogne de témérité folle, pendant laquelle il manqua vingt fois de culbuter, de faire le saut de cent quatre-vingts mètres qui le séparaient du fond. Il avait dû empoigner les guides de chêne, les madriers où glissaient les cages et, suspendu au-dessus du vide, il voyageait le long des traverses dont ils étaient reliés de distance en distance, il se coulait, s'asseyait, se renversait, simplement arc-bouté sur un coude ou sur un genou, dans un tranquille mépris de la mort.

> Émile Zola, *Germinal*, éd. Fasquelle, 1969.

L'AVENTURE DE LA COMMUNE DE PARIS

Jules Vallès prit part à la Commune et échappa miraculeusement à la répression. Il a raconté sa terrible aventure dans *L'insurgé*, roman dédié aux morts de 1871. Il s'incarne dans le personnage de Jacques Vingtras, un intellectuel que la société réduit à la misère et persécute. Les Versaillais ont envahi Paris. Les derniers défenseurs des barricades s'accrochent à la montagne Sainte-Geneviève et au Père-Lachaise.

Mardi, 5 heures du matin (23 mai)

La bataille est engagée du côté du Panthéon. Ah ! que c'est triste, par ce soleil levant, cette descente des civières toutes barbouillées de pourpre humaine ! Ce sont les blessés de là-haut — de la rue Vavin et du boulevard Arago — qui sont apportés aux ambulances. J'ai dormi dans je ne sais quel endroit de la mairie ; voisin d'un mort, cette nuit comme l'autre. Le boulanger[1] est là, derrière ces planches, et des brins de paille humide ont été roulés, par une rigole d'eau jusqu'à mes pieds. On m'a réveillé au petit jour, et j'ai pris le chemin des barricades. Mais en route, commandants et capitaines m'arrêtent, me saisissent les mains, les basques, demandant des munitions, du pain, un conseil... quelques-uns un discours. Il en est qui menacent : — Avec ça que la Commune a le droit d'élever la voix ![2]

Ah ! je m'y perds ! Et personne avec moi pour me renseigner et me soutenir, pour partager le fardeau ! Des membres de la Commune qu'a élus le quartier, je n'ai encore vu que Régère, assailli, dérobé, noyé à la municipalité et Jourde, qui est apparu un moment (...).

Et je suis seul. De temps en temps, on me colle contre une maison et l'on parle de me régler mon compte. Würtz, l'Alsacien, un des juges d'instruction de Ferré[3], vient de m'en sauver d'une belle à l'instant. — Vous n'êtes pas Vingtras ! On s'est rassemblé. — Un mouchard ! Abattez-nous ça ! — A la mairie !

---

1. Cadavre d'un boulanger fusillé la veille, sans jugement.
2. Rédacteur du « Cri du Peuple », journal révolutionnaire, Vingtras représente au Comité central le quartier de Grenelle.
3. Substitut auprès du tribunal populaire, institué par la Commune, condamné à mort le 2 septembre 1871, fusillé le 28 novembre.

A la mairie ! — Pourquoi à la mairie? Là contre la palissade ! — Jacques Vingtras a de la barbe. Vous n'êtes pas Jacques Vingtras ! — Au mur ! Au mur ! !

Ce mur est la devanture d'un café de la rue Soufflot. J'ai essayé de m'expliquer. — Mais, sacrelotte ! depuis mon évasion du Cherche-Midi [1], j'ai gardé le menton ras... Malgré tout, j'allais quand même y passer, je crois bien, quand Würtz a sauté dans le groupe en fureur... « Qu'allez-vous faire là ! » On le connaît si on ne me reconnaît pas. Et il jure que j'ai droit à mon nom. — « Pardon, excuse, citoyen ! » Je me suis secoué comme un chien mouillé, et l'on est allé prendre un verre... tous en chœur.

Jules Vallès, L'insurgé.

● **Évasions**

AU FOND D'UNE OUBLIETTE

> Moderne chevalier errant, Rodolphe, grand-duc de Gerolstein, se mêle à la pègre parisienne et prend la défense des faibles. Il s'est fait le protecteur d'une pauvre fille Fleur-de-Marie contre ses persécuteurs, la Chouette et un forçat en rupture de ban, le Maître d'école. Mais ce dernier a réussi à l'attirer dans un cabaret mal famé, le Cœur-Saignant, près de la Seine, au Cours-la-Reine et le précipite dans un caveau qui communique avec le fleuve.

Au bout d'une heure, Rodolphe reprit ses sens. Il était couché par terre au milieu des ténèbres. Étendant une main, il tâta la marche d'un escalier de pierre ; et à une impression de froid humide, il comprit qu'il avait les pieds dans l'eau. A force d'efforts, il parvint à s'asseoir sur la marche. Son étour-

---

1. Prison parisienne.

dissement était passé, et il n'avait rien de brisé.
Il écouta ; il n'entendait rien qu'un clapotement
sourd et continu, et rassemblant ses souvenirs,
il se mit à réfléchir sur ce qui lui était arrivé. Au bout
de quelques instants, surpris, il se baissa et constata que l'eau lui venait au-dessus de la cheville.
Il comprit ; le caveau devait être au-dessous du niveau
de la Seine, et par suite de la crue, l'eau l'envahissait.

Rapidement, il gravit l'escalier et se heurta contre
une porte. Il voulut l'ébranler. En vain. « Et Murph[1],
se dit-il, ·Murph ! S'il n'est pas sur ses gardes !... Et
c'est moi qui serais la cause... » Il fallait absolument
un levier pour forcer cette porte. Il redescendit dans
le caveau, épouvantant de gros rats que l'inon-
dation chassait de leurs trous. L'eau lui montait
déjà à mi-jambes, et il parcourut sa prison en tous
sens, sans rien trouver. L'angoisse le prit à la gorge.
Pour ne pas s'y abandonner, faire quelque chose,
il se mit à compter les marches de l'escalier. Il y en
avait treize, et trois étaient déjà submergées. « Treize !
le nombre de mauvais augure... » se dit-il. Il frissonna,
et non pas de· froid. Que lui restait-il à tenter? Debout
dans ces ténèbres opaques, il ne percevait rien d'autre
que ce petit clapotement incessant, obstiné, signe que
l'eau montait toujours. Il se prit alors à penser à
Murph, peut-être en ce moment attaqué par le Maître
d'école et sans que lui pût porter secours à ce compagnon dévoué et fidèle.

L'eau continuait à monter. Il n'y avait plus que
cinq marches qui fussent à sec. En se tenant debout
près de la porte, Rodolphe touchait de son front
la voûte. Brusquement, il se souvint du pistolet
qu'il avait sur lui. En tirant sur la serrure... Mais il
eut beau chercher ; durant sa chute, le pistolet
avait dû tomber ou lui être enlevé par le Maître
d'école. Il n'y avait donc plus rien qu'à attendre
une mort affreuse. Il songea alors à tous ceux qu'il
avait aimés, secourus, à cette fatale action qu'il

---

1. Secrétaire de Rodolphe qu'il accompagne dans toutes ses équipées.

n'avait pas encore expiée... Le moment de payer était-il donc arrivé [1]?

Chassés par l'eau, les rats commencèrent à grimper à lui en s'accrochant à ses vêtements. Dégoûté, il voulut se débarrasser des bêtes immondes, mais elles lui déchiraient les mains. Alors, il se mit à hurler de toutes ses forces, tout en sachant que c'était inutile.

Bientôt, l'eau parviendrait à sa bouche. Déjà l'air commençait à lui manquer. Ses tempes battaient et son cerveau s'engourdissait. Désespéré, il recommanda son âme à Dieu.

Tout à coup, il entendit derrière la porte des pas, des bruits de voix.

— Tu vois bien, il n'y a personne, dit quelqu'un.

— Tonnerre ! c'est vrai... répondit la voix du Chourineur [2]. Rodolphe voulut appeler, mais il n'en eut pas la force. A bout de résistance, il se laissa glisser dans l'eau, qui se referma sur lui. Alors la porte du caveau s'ouvrit du dehors, la masse liquide se précipita, et le Chourineur n'eut que le temps de saisir Rodolphe par le bras.

Eugène Sue [3], Les mystères de Paris.

UNE ÉVASION ANGOISSANTE

Au temps de la Terreur Blanche, Edmond Dantès a été incarcéré au château d'If, à la suite d'une dénonciation calomnieuse. Son compagnon de captivité, l'abbé

---

1. De son union avec la criminelle comtesse Sarah, Rodolphe eut une fille (Fleur-de-Marie) qu'il abandonna.

2. Un mauvais garçon au grand cœur, tout dévoué à Rodolphe.

3. Sue (Marie-Joseph dit Eugène) né à Paris, 1804, mort à Annecy, 1857. Filleul du prince Eugène de Beauharnais et de l'impératrice Joséphine. Chirurgien en chef à vingt et un ans dans la marine, il voyagea sur mer plusieurs années. Ayant démissionné en 1829, il publia des romans d'aventures maritimes : *La salamandre, La vigie de Koutoen.* La publication d'un roman mondain, *Mathilde,* 1841, lui aliéna les sympathies du faubourg Saint-Germain. Il cherche alors une nouvelle source d'inspiration dans les idées démocratiques. Il triompha avec *Les mystères de Paris,* 1843, *Le Juif errant,* 1844-1845. Il écrivit aussi des romans historiques : *Jean Cavalier, Paula Monti,* et termina sa vie en exil.

Faria, un sage et un savant, adoucit sa captivité par ses entretiens. Il meurt et Dantès imagine un plan désespéré : il s'enferme dans le sac en toile qui doit servir de linceul au cadavre ; les fossoyeurs, espère-t-il, le porteront sur la terre ferme d'où il pourra s'évader.

On transporta le prétendu mort du lit sur la civière. Edmond se raidissait pour mieux jouer son rôle de trépassé. On le posa sur la civière ; et le cortège, éclairé par l'homme au falot, qui marchait devant, monta l'escalier. Tout à coup, l'air frais et âpre de la nuit l'inonda. Dantès reconnut le mistral. Ce fut une sensation subite, pleine à la fois de délices et d'angoisses. Les porteurs firent une vingtaine de pas, puis ils s'arrêtèrent et déposèrent la civière sur le sol. Un des porteurs s'éloigna, et Dantès entendit ses souliers retentir sur les dalles. « Où suis-je donc ? se demanda-t-il. — Sais-tu qu'il n'est pas léger du tout ! » dit celui qui était resté près de Dantès en s'asseyant sur le bord de la civière. Le premier sentiment de Dantès avait été de s'échapper, heureusement il se retint.

« Éclaire-moi donc, animal, dit celui des deux porteurs qui s'était éloigné, ou je ne trouverai jamais ce que je cherche. » L'homme au falot obéit à l'injonction, quoique, comme on l'a vu, elle fut faite en termes peu convenables. « Que cherche-t-il donc ? se demanda Dantès. Une bêche, sans doute. » Une exclamation de satisfaction indiqua que le fossoyeur avait trouvé ce qu'il cherchait. « Enfin, dit l'autre, ce n'est pas sans peine. — Oui, répondit-il, mais il n'aura rien perdu pour attendre. » A ces mots, il se rapprocha d'Edmond, qui entendit déposer près de lui un corps lourd et retentissant ; au même moment, une corde entoura ses pieds d'une vive et douloureuse pression. » Eh bien, le nœud est-il fait ? demanda celui des fossoyeurs qui était resté inactif. — Et bien fait, dit l'autre ; je t'en réponds. — En ce cas, en route. »

Et la civière soulevée reprit son chemin.

On fit cinquante pas à peu près, puis on s'arrêta pour ouvrir une porte, puis on se remit en route.

Le bruit des flots se brisant contre les rochers sur lesquels est bâti le château arrivait plus distinctement à l'oreille de Dantès à mesure que l'on avançait ». « Mauvais temps ! dit un des porteurs, il ne fera pas bon d'être en mer cette nuit. — Oui, l'abbé court grand risque d'être mouillé », dit l'autre et ils éclatèrent de rire. Dantès ne comprit pas très bien la plaisanterie, mais ses cheveux ne s'en dressèrent pas moins sur sa tête. « Bon, nous voilà arrivés ! reprit le premier. — Plus loin, dit l'autre, tu sais bien que le dernier est resté en route, brisé sur les rochers, et que le gouverneur nous a dit le lendemain que nous étions des fainéants. »

On fit encore quatre ou cinq pas en montant toujours, puis Dantès sentit qu'on le prenait par la tête et par les pieds et qu'on le balançait. « Une, dirent les fossoyeurs. — Deux — Trois ! » En même temps, Dantès se sentit lancé, en effet, dans un vide énorme, traversant les airs comme un oiseau blessé, tombant, tombant toujours avec une épouvante qui lui glaçait le cœur. Quoique tiré en bas par quelque chose de pesant qui précipitait son vol rapide, il lui sembla que cette chute durait un siècle. Enfin, avec un bruit épouvantable, il entra comme une flèche dans une eau glacée qui lui fit pousser un cri, étouffé à l'instant même par l'immersion.

Dantès avait été lancé dans la mer au fond de laquelle l'entraînait un boulet de trente-six attaché à ses pieds.

La mer est le cimetière du château d'If.

Alexandre Dumas, Monte-Cristo, ch. XX.

UNE ÉVASION ROMANESQUE

Fabrice del Dongo a été incarcéré dans la tour Farnèse, à Parme, pour le meurtre de son rival, le comédien Giletti. Mais sa tante la Sanseverina avec la complicité de Clélia, la fille du gouverneur de la prison, lui a fourni les moyens de s'évader.

Un peu après que minuit et demi eut sonné, le signal de la petite lampe parut à la fenêtre de la volière. Fabrice était prêt à agir ; il fit un signe de croix, puis attacha à son lit la petite corde destinée à lui faire descendre les trente-cinq pieds qui le séparaient de la plate-forme où était le palais. Il arriva sans encombre sur le toit du corps de garde occupé depuis la veille par les deux cents hommes de renfort dont nous avons parlé. Par malheur, les soldats, à minuit trois quarts qu'il était alors, n'étaient pas encore endormis ; pendant qu'il marchait à pas de loup sur le toit de grosses tuiles creuses, Fabrice les entendait qui disaient que le diable était sur le toit, et qu'il fallait essayer de le tuer d'un coup de fusil. Quelques voix prétendaient que ce souhait était d'une grande impiété, d'autres disaient que si l'on tirait un coup de fusil sans tuer quelque chose, le gouverneur les mettrait tous en prison pour avoir alarmé la garnison inutilement. Toute cette belle discussion faisait que Fabrice se hâtait le plus possible en marchant sur le toit et qu'il faisait beaucoup plus de bruit. Le fait est qu'au moment où, pendu à sa corde, il passa devant les fenêtres, par bonheur à quatre ou cinq pieds de distance à cause de l'avance du toit, elles étaient hérissées de baïonnettes. Quelques-uns ont prétendu que Fabrice, toujours fou, eut l'idée de jouer le rôle du diable, et qu'il jeta à ces soldats une poignée de sequins. Ce qui est sûr, c'est qu'il avait semé des sequins sur le plancher de sa chambre, et il en sema aussi sur la plate-forme dans son trajet de la tour Farnèse au parapet, afin de se donner la chance de distraire les soldats qui auraient pu se mettre à le poursuivre.

Arrivé sur la plate-forme et entouré de sentinelles qui ordinairement criaient tous les quarts d'heure une phrase entière : Tout est bien autour de mon poste, il dirigea ses pas vers le parapet du couchant et chercha la pierre neuve [1].

Ce qui paraît incroyable et pourrait faire douter

---

1. C'est le repère pour franchir le parapet.

du fait si le résultat n'avait eu pour témoin une ville entière, c'est que les sentinelles placées le long du parapet n'aient pas vu et arrêté Fabrice ; à la vérité, le brouillard dont nous avons parlé commençait à monter, et Fabrice a dit que, lorsqu'il était sur la plate-forme, le brouillard lui semblait arrivé déjà jusqu'à la moitié de la tour Farnèse. Mais ce brouillard n'était point épais, et il apercevait fort bien les sentinelles dont quelques-unes se promenaient. Il ajoutait que, poussé comme par une force surnaturelle, il alla se placer hardiment entre deux sentinelles assez voisines. Il défit tranquillement la grande corde qu'il avait autour du corps, et qui s'embrouilla deux fois ; il lui fallut beaucoup de temps pour la débrouiller et l'étendre sur le parapet. Il entendait les soldats parler de tous côtés, bien résolu à poignarder le premier qui s'avancerait vers lui.

Stendhal, *La Chartreuse de Parme.*

● **Voyages périlleux**

AU CŒUR DU SAHARA, EN 1828

Parti de Saint-Louis (Sénégal), un Français, René Caillié (1799-1838) traversa la Mauritanie, pénétra dans Tombouctou la mystérieuse, regagna le Maroc en franchissant le Sahara du Sud au Nord. Il s'était déguisé en Arabe et se mêlait aux caravanes. Les dangers qu'il courut furent terribles : les indigènes massacraient les blancs et les chrétiens.

Dans la soirée, me trouvant sous la tente d'un marabout [1] instituteur, je profitai d'un moment où je pouvais me procurer de l'encre, pour mettre mon journal à jour ; je me cachai et j'avais déjà

---

1. Moine musulman.

écrit une page lorsque je fus surpris par le chérif Kount [2]. Il me prit le papier des mains : étonné de ne voir aucun caractère arabe, il me demanda ce que j'écrivais là. J'avais d'abord l'intention de lui dire que c'étaient des prières que je voulais me graver dans la mémoire ; mais, réfléchissant que je n'en savais pas encore assez pour remplir une page, je lui dis que c'était une chanson, et je me mis à chanter un couplet pour le lui persuader. Mais le défiant chérif ne parut pas y croire et m'apostropha en me disant que j'étais venu espionner ce qui se passait chez eux pour en rendre compte aux chrétiens. Il m'importait de détruire cette idée ; j'y réussis en affectant une grande indifférence pour ce que je venais d'écrire ; et, lui remettant le papier entre les mains, je lui dis en riant : « Va à l'escale [3], tu feras lire cet écrit, et tu verras si je mérite l'outrage que tu me fais. » Cette ruse eut l'effet que j'en attendais, il me rendit le papier en me priant de lui lire encore ce qu'il contenait : je chantai un autre couplet ; mon chérif parut persuadé et me quitta, à ma grande satisfaction, car ses soupçons me mettaient dans un cruel embarras. Je remerciai Dieu d'en être quitte à si bon compte et je me promis d'être plus prudent à l'avenir. Depuis ce moment, quand je voulais écrire, je me mettais soigneusement à l'écart derrière un buisson, et, au moindre bruit, je cachais mes notes et m'emparais de mon chapelet [4], faisant semblant d'être en prière. Cette dévotion affectée me valait des applaudissements de ceux qui me surprenaient, mais combien il m'était pénible de jouer un tel rôle !

René Caillié, *Journal d'un voyage à Tombouctou*, ch. II.

---

1. Descendant de Mahomet.
2. Peuplade maure.
3. Poste français, sur le fleuve Sénégal, au pays des Braknas.
4. Le chapelet à gros grains des musulmans.

DANS LE MAELSTRÖM

L'œuvre de l'Américain E. Poe : *Le corbeau*, *Histoires extraordinaires*, *Nouvelles histoires extraordinaires*, traduite par Baudelaire, eut en France un succès et une influence considérables.

Un pêcheur norvégien et ses compagnons, à bord d'une goélette ont été poussés par la tempête dans le Maelström. Le narrateur s'est jeté à la mer, accroché à un baril.

Il s'était écoulé une heure environ depuis que j'avais quitté le bord du semaque [1], quand, étant descendu à une vaste distance au-dessous de moi, il fit coup sur coup, trois ou quatre tours précipités, et, emportant mon frère bien-aimé, piqua de l'avant décidément et pour toujours, dans le chaos d'écume. Le baril auquel j'étais attaché nageait presque à moitié chemin de la distance qui séparait le fond du gouffre de l'endroit où je m'étais précipité par-dessus bord, quand un grand changement eut lieu dans le caractère du tourbillon. La pente des parois du vaste entonnoir se fit de moins en moins escarpée. Les évolutions du tourbillon devinrent graduellement de moins en moins rapides. Peu à peu, l'écume et l'arc-en-ciel disparurent et le fond du gouffre sembla s'élever lentement.

Le ciel était clair, le vent était tombé, et la pleine lune se couchait radieusement à l'ouest, quand je me retrouvai à la surface de l'Océan, juste en vue de la côte de Lofoten, et au-dessus de l'endroit où était naguère le tourbillon du Moskoe-Ström. C'était l'heure de l'accalmie, mais la mer se soulevait toujours en vagues énormes par suite de la tempête. Je fus porté violemment dans le canal du Ström et jeté en quelques minutes à la côte, parmi les pêcheries.

Edgar Poe, *Histoires extraordinaires*,
« Une descente dans le Maelström »,
trad. de Charles Baudelaire.

---

1. Petit navire, employé dans les mers nordiques.

UNE AVENTURE DE SCIENCE-FICTION

Jules Verne suppose que des savants américains ont décidé d'envoyer un obus sur la lune. Lancé par un énorme canon coulé dans le sol en Floride (tout près de l'emplacement actuel de cap Kennedy), le projectile est occupé par trois hommes, Barbicane, Nicholl, Michel Ardan. Mais en cours de route, un météore modifie la course de l'engin qui, manquant son objectif, devient un satellite de la planète. Un globe de feu, en éclatant, éclaire, durant quelques minutes, la face cachée de l'astre.

C'était comme l'épanouissement d'un cratère, comme l'éparpillement d'un immense incendie. Des milliers de fragments lumineux allumaient et rayaient l'espace de leurs feux. Toutes les grosseurs, toutes les couleurs, toutes les nuances s'y mêlaient. C'étaient des irradiations jaunes, jaunâtres, rouges, vertes, grises, une couronne d'artifices multicolores. Du globe énorme et redoutable, il ne restait plus rien, que des morceaux emportés dans toutes les directions, devenus astéroïdes à leur tour, ceux-ci flamboyants comme une épée, ceux-là entourés d'un nuage blanchâtre, d'autres laissant après eux des traînées éclatantes de poussière cosmique.

Ces blocs incandescents s'entrecroisaient, s'entrechoquaient, s'éparpillaient en fragments plus petits, dont quelques-uns heurtèrent le projectile. Sa vitre gauche fut même fendue par un choc violent. Il semblait flotter au milieu d'une grêle d'obus dont le moindre pouvait l'anéantir en un instant. La lumière qui saturait l'éther se développait avec une incomparable intensité, car ces astéroïdes la dispersaient en tous sens. A un certain moment, elle fut tellement vive que Michel, entraînant vers sa vitre Barbicane et Nicholl s'écria : « L'invisible Lune, visible enfin. »

Et tous trois, à travers un effluve lumineux de quelques secondes, entrevirent ce disque mystérieux que l'œil de l'homme apercevait pour la première fois. Que distinguèrent-ils à cette distance qui ne pouvait s'évaluer? Quelques bandes allongées sur le disque, de véritables nuages formés dans un milieu atmosphérique très restreint, duquel émergeaient non seulement toutes les montagnes, mais aussi les reliefs de médiocre importance, ces cirques, ces cratères béants, capricieusement disposés, tels qu'ils existaient à la surface visible. Puis des espaces immenses, non plus des plaines arides, mais des mers véritables, des océans largement distribués, qui réfléchissaient sur leur miroir liquide, toute cette magie éblouissante des feux de l'espace. Enfin, à la surface des continents, de vastes masses sombres, telles qu'apparaîtraient des forêts immenses sous la rapide illumination d'un éclair...

Jules Verne, *Autour de la lune*, Hetzel, Paris, s.d. ch. XV, p. 219-220.

● **L'aventure du poète**

LE PORT

A vingt ans, Baudelaire s'est embarqué sur un voilier, pour les Indes. Il connut Madagascar, les cieux tropicaux, les îles et leurs splendeurs. Maintenant, il ne désire plus vivre l'aventure du voyage, toujours décevante : il lui suffit de la rêver, la réalité enlevant au songe l'essentiel de son charme.

Ce poème parut dans *La revue de Paris* en 1864.

Un port est un séjour charmant pour une âme fatiguée des luttes de la vie. L'ampleur du ciel, l'architecture mobile des nuages, les colorations changeantes de la mer, le scintillement des phares, sont un prisme merveilleusement propre à amuser les yeux sans jamais les lasser. Les formes élancées des navires, au gréement compliqué, auxquels la houle imprime des oscillations harmonieuses, servent à entretenir dans l'âme le goût du rythme et de la beauté. Et puis, surtout, il y a une sorte de plaisir mystérieux et aristocratique pour celui qui n'a plus ni curiosité ni ambition, à contempler, couché dans le belvédère ou accoudé sur le môle, tous ces mouvements de ceux qui partent et de ceux qui reviennent, de ceux qui ont encore la force de vouloir, le désir de voyager ou de s'enrichir.

> Baudelaire, *Petits poèmes en prose*, XLI.

Ce port est Honfleur où Mme Aupick possédait une maison, Le Mirador. Là, le poète séjournait ; il aimait travailler et contempler la rade.

— Pas une description, des notations fugitives, sans pittoresque : le ciel, l'éclairage naturel et artificiel, la silhouette des navires, le mouvement des flots, berceur.

— Cette réalité éveille en son âme d'agréables résonances : le contemplateur, mûri par l'expérience, prend en pitié les chercheurs d'aventures et de profits. Le spectacle du port éveille en lui l'idée d'un départ. Mais ce départ, il préfère le rêver plutôt que le réaliser.

— Impressions, réflexions, analyses ébauchées, autant d'ondes légères suggérées par des phrases ondoyantes, moulées sur les ondulations des vagues — la dernière a les prolongements extasiés d'un soupir de béatitude.

L'AZUR

La même année, Mallarmé chante sa navrante aventure de poète : cédant à l'appel de l'Idéal, de l'Azur, il s'épuise dans un vain effort de perfection. Son impuissance l'accable, la Beauté se dérobe, le poète découragé est en proie à l'Ennui et revient se mêler à la foule. Son aventure a échoué, mais la tentation demeure, toujours vive. Voici les dernières strophes de cette allégorie.

— Le ciel est mort. — Vers toi, j'accours ! donne,
[ô matière,
L'oubli de l'Idéal cruel et du Péché
A ce martyr qui vient partager la litière

Où le bétail heureux des hommes est couché.

Car j'y veux, puisque enfin ma cervelle, vidée
Comme le pot de fard gisant au pied d'un mur,
N'a plus l'art d'attirer la sanglotante idée,
Lugubrement bâiller vers un trépas obscur...

En vain ! l'Azur triomphe, et je l'entends qui chante
Dans les cloches. Mon âme, il se fait voix pour plus
Nous faire peur avec sa victoire méchante,
Et du métal vivant sort en bleus angélus !

Il roule par la brume, ancien, et traverse
Ta native agonie ainsi qu'un glaive sûr ;
Où fuir dans la révolte inutile et perverse ?
Je suis hanté. L'Azur ! l'Azur ! l'Azur !

Stéphane Mallarmé, L'Azur, Hachette,

● Une aventure mystique

LA BALEINE MONSTRUEUSE

Herman Melville, dans son roman *Moby Dick*, raconte une chasse à la baleine. Mais son récit comporte une dimension surnaturelle et mystique. Cette baleine blanche que pourchasse avec acharnement le capitaine Achab depuis des années, représente Dieu qui se dérobe à ses fidèles. Et quand, à la fin, Moby Dick (la baleine) met en pièces le navire et emporte, garrotté à son flanc, son ennemi le harponneur, elle signifie la colère divine, qui s'acharne à détruire sa créature.

Depuis trois jours, Achab et son équipage poursuivent Moby Dick, sans succès. Enfin, Achab réussit à l'approcher, à bord d'un canot, « en plein dans la montagne de brouillard fumeux qui, rejeté par le jet, s'enroulait autour de sa grande bosse. »

Il était tout près d'elle quand, le corps bandé en arrière, les bras tendus, il lança son féroce harpon avec sa plus féroce malédiction.

L'acier et la malédiction s'enfoncèrent jusqu'à la garde dans la baleine détestée, comme dans un marais. Moby Dick se tordit de côté, roula spasmodiquement son flanc contre le flanc du canot et sans l'abîmer, le renversa si subitement que, s'il n'avait alors été bien cramponné à la partie supérieure du plat-bord, Achab aurait été une fois de plus jeté à la mer. Trois des rameurs qui ne pouvaient prévoir le moment précis du lancement du dard et n'étaient pas préparés à en subir les effets furent jetés à la mer. (...)

Presque aussitôt, avec une volte rapide, la Baleine Blanche se lança à travers la mer bouillante. Mais pendant qu'Achab criait au timonier de tirer la ligne et de tenir bon, et qu'il ordonnait à l'équipage de se retourner sur les sièges afin de pouvoir haler, la ligne, sous ce poids et ces efforts doubles, éclata dans l'air vide !

« Qu'est-ce qui éclate en moi ? quel nerf a claqué ?... toujours entier... les rames, les rames, sautez sur les rames ! » En entendant le grand bruit du canot frappant la mer, la baleine se tourna pour présenter son œil vide à l'ennemi ; mais dans ce mouvement, apercevant la masse noire du vaisseau qui approchait, et sans doute voyant en lui la source de toutes ses persécutions, le prenant peut-être pour un ennemi plus grand et plus noble, elle chargea subitement sur sa proue approchante, claquant ses mâchoires parmi l'étincelante écume.

(...) A l'avant du vaisseau, presque tous les marins restaient sans bouger ; marteaux, morceaux de planches, lances et harpons machinalement tenus à la main, dans la position même où ils s'étaient élancés médusés, ils regardaient la baleine qui, de part et d'autre, agitant sa tête prédestinée, jetait une large bande d'écume en demi-cercle devant elle.

Elle était le Jugement dernier et la vengeance de la foudre et la malice éternelle, un homme mortel ne pouvait rien contre elle ; le solide bélier blanc de son front frappa l'avant par tribord, renversant hommes, planches et mâts. Quelques-uns tombèrent à plat sur leur visage. Dans la mâture, les têtes des

harponneurs furent secouées sur leurs cous de tau-
reaux. Par la brèche, ils entendirent les eaux s'en-
gouffrer comme des torrents de montagnes dans
une crevasse.

« Le vaisseau ! le corbillard ! le second corbillard !
s'écria Achab du canot ; le corbillard de bois américain ! [1] »

Plongeant sous le vaisseau qui s'enfonçait, la baleine
fila en frémissant le long de la quille ; puis se ravi-
sant sous l'eau, elle s'élança de nouveau à la surface
et très loin, de l'autre bord, mais à quelques mètres
du canot d'Achab, elle s'immobilisa.
(Achab lance un suprême défi à son adversaire.)

« ... Jusqu'au bout, je lutterai avec toi ; du cœur
de l'enfer, je te frapperai. Dans la haine, je te crache
mon dernier souffle. Engloutis en une seule fois
tous les cercueils et tous les corbillards, puisque ni
l'un ni l'autre, ne peuvent être miens ; que je sois
écartelé en te chassant et attaché à toi, baleine mau-
dite. Tiens, je te donne ma lance. »

Le harpon fut lancé. La baleine frappée s'élança.
Avec une rapidité de flamme, la ligne coula dans la
coulisse... se coinça. Achab se pencha pour la démêler,
et il la démêla. Mais le rouleau volant l'attrapa par
le cou, et, aussi silencieusement que par les Turcs
qui étranglent leur victime, il fut emporté du canot
avant même que l'équipage s'en aperçût. L'instant
d'après, le lourd épissoir [2] en forme d'œil du bout
de la ligne s'envola de la cuve vide, renversa un rameur
et, frappant la mer, disparut dans ses profondeurs.
Un moment, l'équipage pétrifié ne bougea pas ;
puis il se retourna.

— Le vaisseau? Le vaisseau, grand Dieu, où est
le vaisseau?

Alors, à travers les vagues, ils virent son long
fantôme s'évanouissant comme dans les brouillards
de la fée Morgane ! Ses trois mâts seuls hors de l'eau,

---

1. Achab désigne ainsi son navire dont tous les marins, destinés à périr,
sont des sortes de morts vivants.
2. Instrument qui servait à assembler deux cordages.

tandis que, cloués par leur entêtement ou par une sorte de fidélité à leurs perchoirs hautains, les harponneurs païens gardaient leur vigie dans l'engloutissement même. Des cercles concentriques saisirent le canot solitaire et tout son équipage ; chaque rame qui flottait, chaque lance, animées et inanimées, se mirent à tourner en une ronde qui emporta hors de vue la plus petite épave du Péquod.

Herman Melville [1], *Moby Dick*, éd. Gallimard, 1941, trad. Jacques, Smith, Giono.

Cette page peut s'interpréter de deux façons :

1. C'est un récit d'aventure qui conte une hallucinante chasse à la baleine, à l'époque héroïque des harpons, des filins que l'on dévide, du monstre entraînant les canots et parfois les broyant. Un drame de la mer, brutal, angoissant, dont l'issue fatale est dès le début prévisible.

2. C'est, sur un autre plan, un texte mythique et mystique. Achab représente l'homme, dans une solitude désespérée, face à un univers hostile. Moby Dick, la baleine broyeuse de vaisseau, c'est l'incarnation du Mal, d'un Dieu Jaloux, de toutes les forces mauvaises qui lui sont hostiles. La poursuite acharnée et tragique signifie la révolte de la créature qui s'insurge contre la Toute-Puissance injuste et cherche à se venger. Vaine revanche : l'aventure se termine toujours par la défaite de la victime qui devient la proie et le captif de l'Ennemi.

---

1. Herman Melville, romancier américain, né et mort à New York (1819-1891), marin, aventurier, vécut à Tahiti, aux Sandwich. Écrivit en 1846 *Typee ou les îles Marquises*, puis *Omoo, Redburn, Benito Cerero, Moby Dick*, son chef-d'œuvre (1851).

● CHAPITRE VIII

XXᵉ SIÈCLE :
A GIRL AND A GUN

Au début de notre siècle, les doctrines socialistes se propagent, Jaurès prêche la paix universelle et la réconciliation des peuples. Cependant la Triple Entente se dresse contre la Triple Alliance, bruits de bottes par-ci, revues à grand spectacle par-là, cliquetis d'armes sur l'Europe entière. Une canonnière allemande à Agadir, le tsar à Toulon, la troupe en France tire sur les mineurs en grève, on réquisitionne les cheminots, les périls montent et l'angoisse.

Réaction littéraire : toute une littérature de protestation, adoptant la forme du récit d'aventure, renaît. Elle s'inspire du roman policier dont la mode a été lancée en Angleterre par Sir Conan Doyle (en 1891 ont paru *Les aventures de Sherlock Holmes*). Mais les auteurs français ne choisissent pas comme héros un détective : signe des temps, ils concentrent les sympathies sur un hors-la-loi, forçat comme Chéri-Bibi (Gaston Leroux), gentleman cambrioleur tel Arsène Lupin, qui incarne le personnage du justicier, du vengeur, corrigeant les erreurs d'une société injuste. Même le démoniaque Fantomas d'Allain et Souvestre plaît, car il se rit d'une organisation dont les défenseurs officiels sont impitoyablement bernés, Ganimard, Juve, inspecteurs talentueux et vaincus. Rouletabille, création de G. Leroux reste certes dans le clan de la légalité : journaliste, époux d'une princesse, futur héros de la grande guerre ; mais il rétablit l'équité, à sa manière, sans trop se soucier des formes légales, n'hésitant pas, par exemple, à soutenir les nihilistes contre la police du tsar. Le lecteur de la Belle Époque aime ces défis lancés aux autorités que la bande à Bonnot tient alors en échec.

Parallèlement, répondant au même besoin de fronde, le roman de cape et d'épée réapparaît avec Pardaillan, de Michel Zévaco, « un anarchiste au temps des rois » (Jacques Siclier). De 1907 à 1917, du *Capitan* au *Fils de Pardaillan*, Zévaco connaît un extraordinaire succès, avec ses récits à épisodes publiés par *La petite République*, puis par *Le matin*. Depuis soixante ans, le personnage du bretteur, coureur d'aventures et de jupons, a évolué. Il garde toujours ce panache dont Rostand, au théâtre, auréole son Cyrano. Mais il n'est plus comme jadis au service des rois ou des reines; il ne quémande plus les faveurs d'un ministre. C'est un solitaire, un chevalier errant égaré au Moyen Age, sous la Renaissance ou Louis XIII, en des temps où le pouvoir central, encore mal affermi, rend plausibles les initiatives les plus osées. Qu'il se nomme Buridan, Hardy de Passavant, Pardaillan ou le Capitan, il s'insurge contre le pouvoir royal, presque seul, David affrontant Goliath. « Cet auteur de génie, dit Jean-Paul Sartre de Zévaco, sous l'influence de Hugo, avait inventé le roman de cape et d'épée républicain. Ses héros représentaient le peuple; ils faisaient et défaisaient les empires, prédisaient, dès le XIVe siècle, la Révolution française, protégeaient, par bonté d'âme, des rois enfants ou des rois fous contre leurs ministres, souffletaient les rois méchants. Le plus grand de tous, Pardaillan, c'était mon maître [1]. »

Pardaillan, fils « d'un reître vieilli sous le harnais de guerre », contemporain de Henri IV, a beau avoir l'inquiétant relief d'un spadassin. Comme le remarque M. J. Siclier [2], pour les lecteurs français de 1910, assoiffés de justice sociale et de revanche (les yeux fixés sur la ligne bleue des Vosges), il incarne le symbole de l'honneur et de l'héroïsme. Une sorte de Cid accommodé

1. Sartre, *Les mots*.
2. « Pardaillan, un anarchiste au temps des rois », *Le monde*, 25 juillet 1970.

au goût populaire. Il s'évade de la Bastille, s'en empare (déjà), prend le parti des protestants parce qu'ils sont les plus faibles, contre les catholiques, présentés comme des monstres. Non par conviction religieuse. Il est contemporain du père Combes, anticlérical, détaché des valeurs spirituelles, uniquement soucieux du bonheur humain, bref, un homme libre, au-dessus des préjugés et des doctrines, qui se voue au service des opprimés. Un anarchiste qui s'ignore, à l'époque de la Saint-Barthélemy. Faut-il rappeler que son créateur, Michel Zévaco, professeur de rhétorique au collège de Vienne, fut révoqué, sous la troisième République parce qu'il collaborait au quotidien libertaire de Jules Roques, *L'égalité*? Pardaillan, qui infléchit le cours de l'histoire (il tue le duc de Guise à Blois, déjoue les manœuvres de l'Inquisition, fait couronner Henri de Navarre...) est un aventurier de la même trempe que les pirates d'autrefois, l'abnégation en plus.

Après 1918 et les grands massacres, l'aventure voit son domaine se rétrécir. En se civilisant, la terre se peuple et se banalise. L'ère des chercheurs d'or, des cap-horniers, des trappeurs est finie. Le capitaine Flint [1] ne trouverait plus de port complice pour radouber son Walrus. Robinson chercherait en vain une île déserte. Les moyens de communication et de répression deviennent si perfectionnés qu'ils ne permettent plus l'exploit solitaire — en marge de la loi. Les nostalgiques de l'aventure en sont réduits à s'engager dans la légion étrangère. Ou bien ils s'en prennent à l'Océan, à la montagne, à la nature, quand elle est hors de la mesure humaine, offrant encore des possibilités de risques. Alain Gerbault, le premier, franchit seul l'Atlantique à bord d'un voilier, Herzog escalade l'Annapurna...

Par ailleurs, le roman d'aventures est moins prisé. L'image mouvante des films, les ressources illimitées du cinéma se prêtent mieux que l'expression écrite à ce genre de récit, sans frontière : sa prise sur un public complaisant est directe, plus percutante. La cadence des épisodes n'est pas ralentie par la nécessité de décrire, d'analyser. Surtout l'écran laisse au narrateur une liberté totale : la séquence, mieux que le chapitre, fait saisir l'action sur le vif. On voit Buffalo Bill sauter à cheval, déjouer une embuscade indienne, tuer un jaguar, sauver un convoi d'émigrants, parcourir les pistes de l'Ouest. Le spectateur est

---

1. Pirate célèbre du XVIIIe siècle.

plongé dans l'aventure. Lit-on *Les trois mousquetaires*, le lecteur doit faire un effort d'imagination pour se représenter d'Artagnan à Meung, à l'Hôtel de Tréville, au bastion Saint-Gervais, dans les bras de Milady. L'aventure se propose, diluée par les mots, elle ne s'impose pas, comme elle le fait par l'image.

Néanmoins, le roman d'aventure survit; même il bénéficie de gros tirages. Mais il suit des routes divergentes et sa valeur se commercialise. Distinguons :

1. *L'aventure historique* : Claudel dans *Le soulier de satin*, Montherlant dans *Le maître de Santiago* utilisent au théâtre sa force pathétique. Dans le roman elle conserve sa forme traditionnelle et ses procédés éprouvés : *Caroline chérie* de Cécil Saint-Laurent, *La Marie des îles* de Robert Gaillard, *L'Angélique* d'Anne et Serge Golon. On retrouve les poncifs traditionnels : combats, intrigues, évasions, amours passionnées, que le péril pimente, désinvolture du héros à se tirer des plus mauvais pas. Mais ce héros est devenu une héroïne qui court l'aventure moins par goût du danger que pour chercher un bonheur impossible. Nous retrouvons là, sous une forme rudimentaire, le thème des romans d'analyse et aussi une sorte de protestation féministe. L'aventure n'est plus une fin en soi.

2. *Le roman d'aventure exotique* a presque disparu. Les histoires du Far West constituent le domaine réservé des films à grand spectacle et de John Wayne. Seul l'Allemand Karl May continue à narrer la trahison des Comanches et les traîtrises de la Prairie. La tradition littéraire, héritage de Fenimore Cooper s'abâtardit : elle inspire des livres pour enfants ou des bandes dessinées. Ou bien elle tend à se confondre avec le genre policier. Le héros est un shérif — ou un justicier amateur qui, après une enquête mouvementée conduite dans les saloons d'une ville américaine naissante (vers 1870) ou dans des paysages de cañons et de rocs, traque puis abat des hors-la-loi dépenaillés. Quelquefois, il est vrai, le personnage sympathique est un révolté, Blanc accusé à tort, Indien victime des Blancs. La guerre de Sécession, ses prolongements servent assez souvent de support à ces histoires, rythmées par les hymnes fameux des nordistes et des sudistes. Musique aigrelette des fifres, déploiement d'héroïsme, pathétique enfantin.

À cette catégorie se rattachent des œuvres de valeur inspirées par la colonisation, la décolonisation, la guerre civile. Mais la passion partisane qui les anime et le talent des écrivains

(Malraux, Hemingway, Kessel, Lartéguy, Roy...) leur donnent une autre dimension. Nous en reparlerons.

3. L'aventure exploite les *ressources du roman policier*, forme littéraire aussi antique que les sociétés humaines : Œdipe, s'acharnant à retrouver le secret de sa naissance, mène une véritable et angoissante enquête. Beaucoup plus près de nous, ce genre est lancé par Edgar Poe (*La lettre perdue*, *Le scarabée d'or*...), par Balzac qui campe Vautrin chef de gang, écrit *Une ténébreuse affaire*, *L'histoire des treize*... En plein XIXe siècle, Émile Gaboriau avec *L'affaire Lerouge* imagine l'archétype du détective professionnel, M. Lecocq. Les investigations d'un policier, déchiffreur de secrets, ont toujours séduit le lecteur à la recherche d'un délassement facile : elles permettent de monter une action aux rebondissements incessants, de révéler des personnages, des milieux mal connus et qui font frissonner. Et quelle satisfaction inavouée de voir au dernier chapitre se rétablir l'ordre des choses, un instant dérangé par une criminelle initiative! Le public embourgeoisé termine sa lecture, rassuré.

Car, depuis la Première Guerre mondiale, la sympathie du lecteur s'est déplacée du réprouvé au défenseur de la société. On n'invente plus d'Arsène Lupin : on met en scène le commissaire Maigret ou Hercule Poirot, émules de Sherlock Holmes — à la rigueur le Saint, justicier auxiliaire. Mais il est bien admis que le crime ne paie pas. Or, dans notre société moderne les actes délictueux prolifèrent. La vogue des romans d'aventure policière ne répondrait-elle point à une inquiétude secrète? Il est rassurant de se savoir si bien protégé, dans les livres[1].

Peut-être s'agit-il simplement d'une sorte d'évasion qu'analyse excellemment Edgar Morin[2] : « Elle est l'aventure des vies sans aventures, le confort des vies dénuées, le crime du père de famille, la noblesse des êtres sans noblesse, la cruauté des âmes sensibles ». Ce qui explique son prestige : la moitié de nos compatriotes, affirment les statistiques, ne lisent que cette littérature policière, fabriquée en série pour des collections spécialisées. Son langage simple, moderne, souvent cru, les violences de toutes sortes minutieusement décrites, les sentiments primitifs exprimés, des scènes sensuelles, parfois lubriques, un rythme incohérent, la victoire finale du Bien, tout cela

---

1. Cf. plus loin l'article : Rouletabille contre Fantomas, J. Goimard, p. 149.
2. *L'esprit du temps*.

permet au lecteur en pantoufles d'entrer de plain-pied dans un univers à sa mesure qui le divertit et le réconforte.

Tout n'est pas médiocre dans cette production de masse. Des intellectuels épris d'insolite, Roger Caillois [1], Robert Escarpit [2], Michel Butor [3] ont tenté sa réhabilitation : ils montrent que le roman d'aventure policière traduit avec des moyens simplistes, mais efficaces, l'éternel antagonisme « entre l'élément d'organisation et l'élément de turbulence dont la perpétuelle rivalité équilibre l'univers ». Sa conception n'a rien d'artificiel : elle peut porter des œuvres de mérite. Georges Simenon, par exemple, donna au genre, voilà une quarantaine d'années, une profondeur, des résonances nouvelles. Son héros Maigret, qui se proclame « réparateur d'âmes » est un observateur et un psychologue, presque un psychiatre. Au lieu de chercher des indices, de procéder à de savantes déductions — ce que font les épigones de Sherlock Holmes — il se rend sur les lieux du crime, s'imprègne de leur odeur, essaie de reconstituer la personnalité de la victime ou de l'accusé. C'est un peu la démarche du roman balzacien, appliquée au monde grouillant de l'aventure. Et puis, les péripéties de l'enquête nous entraînent dans un monde incertain, souvent plongé dans le brouillard ou la fumée — monde gras et crasseux de bistrots, de quais, de boîtes à Pigalle, d'auberges campagnardes, solitaires et louches, d'écluses et de péniches, de garages de banlieue... un monde à deux visages, l'un légal, insignifiant, l'autre le vrai, mystérieusement redoutable. Car l'aventure est partout, camouflée sous la respectabilité, la banalité; elle est le lot de petites gens qui paraissent sans histoire; elle surgit au détour du quotidien. Que de drames épouvantables derrière ces rideaux que tirent de vieilles mains!... Qu'importent les remous de l'action, la découverte du coupable! L'enquête policière est un prétexte à la peinture des mœurs, à l'étude de coins mal explorés des âmes. Elle s'oriente vers un témoignage humain et sociologique. C'est en trahissant sa mission que le roman policier, avec Simenon, acquiert une image de marque.

4. *Le roman d'espionnage*, qui en dérive et tend à le supplanter,

---

1. *Puissance du roman.*
2. *Aventure et anticipation.*
3. *L'emploi du temps.*

ne dispose pas de toutes ces ressources. Il semble, par nature, voué à la médiocrité. Ses personnages lui sont imposés : des agents secrets qui ont toutes les vertus, des espions bien noirs. La nécessité d'embrouiller et de démêler l'écheveau de l'intrigue ne laisse guère de temps aux analyses, aux évocations. Psychologie courte, présentation des milieux menée au pas de charge. La vitalité du rythme est impérieuse : il faut que le héros agisse, s'agite, cogne, tue, séduise, se place, comme par jeu, dans une situation critique qu'il retourne en sa faveur, miraculeusement. Cette tyrannie de la cadence fait de lui et de ses comparses, associés ou adversaires, des pantins aux gestes violents et saccadés, dont le comportement est prévu. Quant à la création de l'atmosphère — caves de la Gestapo, souterrains du Guépéou, jonques à Hong Kong, usine secrète, parfois ruine féodale... — elle se limite aux indications indispensables. Ce roman tend vers l'ouvrage de science-fiction : de plus en plus, il s'agit de secrets scientifiques que les grandes puissances cherchent à se dérober. D'où, intervention de Coplan, d'Hubert Bonisseur de la Barth. L'aventure alors achève de perdre sa pureté, son élan : elle s'encombre d'aperçus techniques, aberrants, qui lui enlèvent toute crédibilité.

Même avilie, elle plaît, sous cette forme bâtarde ; car elle sécrète ces émotions fortes dont notre société a l'impérieux besoin, puisque la rigueur de l'organisation sociale ne lui permet plus de se défouler. Ces histoires pleines de sang, d'érotisme, de souffrances offrent au lecteur, par le biais de l'illusion, le moyen d'assouvir impunément ses instincts primitifs, honteusement refoulés — ceux que neutralise la crainte du gendarme et de l'opinion publique. « Nous vivons dans un monde infernal d'interdictions et de limitations écrit, Adam Saint-Moore. C'est à l'agent secret qu'il revient d'accomplir les actes interdits et par-là désirables ». Moyen efficace pour convaincre le chétif qu'il peut jouer les terreurs, le père de famille qu'il tient dans ses bras d'ensorcelantes créatures, cruelles et perverses.

5. Gros tirages, prix de vente modérés, collections tapageusement lancées, utilisant chacune comme enseigne un héros sans peur... Est-ce à ce prix que survit le genre littéraire traitant de l'aventure ? Par bonheur, il existe une cinquième *catégorie d'ouvrages*, ceux d'écrivains talentueux, les uns rêvant d'aventures passées, les autres les vivant et les narrant.

Blaise Cendrars, Pierre Mac Orlan, Joseph Kessel, t'Serstevens... conservent à l'époque des bombes atomiques la mentalité des aventuriers d'autrefois. Ils auraient été boucaniers sous le règne de Louis XIII, pirates au xviiᵉ siècle, négriers au temps de la traite des noirs. Sans doute parce qu'ils se sentent mal à l'aise dans notre civilisation étriquée, où se rétrécit la place de la fantaisie et du risque. Aussi évoquent-ils des êtres rudes, passionnés, sans scrupules, fantômes exhumés du bon vieux temps, puisque notre époque interdit la violence, la démesure. Les aventuriers anonymes qu'ils campent — souvent le narrateur ne se nomme pas — connaissent une vie intense, immorale, illégale, embrasée par les canonnades, les orgies, le soleil tropical; elle prend fin dans un combat, au bout d'une corde. *L'or*, *A bord de l'Éto ile-Matutine*, *Les corsaires du Roi*, s'inspirant des *Mémoires* d'Œxmelin ou de Raveneau, font revivre le monde dépenaillé, criminel, grand buveur de rhum, insoucieux et truculent des gentilshommes de fortune.

Il est des écrivains qui narrent des aventures vécues : Henri de Monfreid fut contrebandier sur les côtes de l'Érythrée; il évoque des souvenirs colorés dans *La croisière du haschich*. Il y a surtout André Malraux qui vécut l'aventure au Cambodge, en Chine, en Espagne, pendant la guerre civile, en France, dans le maquis. Devenu lui-même un personnage mythique, il fait de l'aventurier un héros révolutionnaire, — de l'aventure un conflit idéologique, aux conséquences d'apocalypse. Grâce à son souffle, à la puissance de ses évocations, ce genre modeste et décrié acquiert des dimensions épiques, avec *La condition humaine*, *L'espoir*. Ses personnages, créés à son image, unissent selon le mot de Drieu la Rochelle, « l'action, la culture, la lucidité ». Leur aventure n'est plus personnelle, égoïste : elle est mise au service d'une cause, d'un peuple. Révolutionnaires de Canton, républicains espagnols se lancent dans une action qui leur sera mortelle, non pour se divertir, par dégoût d'une vie sociale qui leur pèse, mais pour défendre leur idéal. L'intrigue âpre, sombre, parfois terrifiante, chargée de hurlements, d'horreurs, de tueries n'est pas un simple récit : elle soutient une thèse que les protagonistes exposent, entre deux alarmes. Résurgence de ce roman de la protestation qui fleurit au siècle passé, il est un plaidoyer en faveur des faibles écrasés par les forts, des fusillés de Badajoz, des prisonniers rouges que les soldats de Tchang jetaient dans la chaudière des locomotives. Revanche de cette « littérature de la main gauche » (le mot est de Cocteau) que les délicats traitent d'infra ou de sous-littérature? En 1933, *La condition humaine* reçut le prix Goncourt[1].

● De Rouletabille à San Antonio

LE ROMAN POLICIER A LA BELLE ÉPOQUE

Son maître est l'écrivain anglais A. Conan Doyle : il invente le personnage de Sherlock Holmes, détective amateur, qui mène scientifiquement ses enquêtes et découvre la vérité des plus mystérieuses énigmes par de savantes déductions.

Dans le récit suivant, une jeune fille terrifiée est venue conter au policier une étrange histoire. Sa sœur jumelle Julia est morte mystérieusement, seule, dans une pièce hermétiquement close. Avant de mourir, elle a accusé la bande mouchetée. Les soupçons de Sherlock Holmes se portent sur le beau-père de la victime, le docteur Roylott, revenu des Indes. Il réussit à s'introduire dans le manoir de Stoke Moran où eut lieu le drame; car il a la certitude que sa cliente est en danger. Son fidèle assistant Watson l'accompagne.

Tout à coup, dans la direction de la bouche d'aération, surgit un faible rayon de lumière qui disparut aussitôt, mais qui fut aussitôt suivi d'une forte odeur d'huile brûlée et de métal chauffé. On venait très certainement d'allumer une lanterne sourde dans la pièce à côté. J'entendis un bruit léger et furtif, puis tout retomba dans le silence ; mais l'odeur devint plus forte. J'attendis[2] encore une bonne demi-heure, l'oreille tendue, sans qu'il se passât rien. Puis, tout à coup, un autre bruit perceptible, un bruit très doux, très monotone, comme celui d'un

---

1. Dans un style analogue, avec moins de relief, Hemingway, Lartéguy, Jules Roy... mettent en scène des héros d'une cause; mais beauoup d'entre eux ont perdu leur foi.

2. C'est Watson qui est le narrateur.

petit jet de vapeur s'échappant continuellement du bec d'une bouilloire. Dès qu'il se fit entendre, Holmes se leva brusquement, frotta une allumette et se mit à frapper furieusement avec sa badine sur le cordon de sonnette.

« Vous le voyez, Watson, cria-t-il, vous le voyez? » Je ne voyais rien du tout. Au moment où Holmes frottait son allumette, j'avais distinctement entendu un léger sifflement, mais mes yeux, accoutumés à l'obscurité, avaient été éblouis par la brusque apparition de la lumière et il m'avait été impossible de distinguer sur quoi mon ami frappait avec tant d'énergie et de précipitation. Néanmoins, je remarquai qu'il était excessivement pâle et que sa physionomie avait une expression d'horreur et de dégoût intense.

Il venait enfin de s'arrêter de frapper et de lever les yeux vers la bouche d'aération, lorsque, brusquement, le silence qui nous environnait fut déchiré par le cri le plus horrible que j'aie jamais entendu de ma vie. Et ce cri monta, monta de plus en plus jusqu'à se transformer en un rauque hurlement où il y avait tout à la fois de l'épouvante, de la rage et de l'effroi. On dit que là-bas, dans le village et même jusqu'au presbytère, qui est encore plus éloigné, tout le monde en fut réveillé en sursaut. En tout cas, je sais que, pour notre part, il nous glaça le cœur et que nous demeurâmes figés en face l'un de l'autre, à nous regarder réciproquement, jusqu'à ce que ses derniers échos se fussent éteints et que le silence se fût complètement rétabli. « Qu'est-ce que cela peut bien vouloir dire? balbutiai-je — Cela veut dire que tout est fini, me répondit Holmes. Et après tout cela vaut peut-être mieux. Prenez votre revolver, nous allons pénétrer dans la chambre du docteur. »

La figure grave, il alluma la lampe et sortit le premier dans le corridor. A deux reprises, il frappa à la porte voisine sans obtenir de réponse. Alors il tourna le bouton et pénétra dans la pièce. (...)

Un singulier spectacle s'offrit à nos yeux. Sur la table était posée une lanterne sourde dont le volet, à demi ouvert, laissait passer un brillant faisceau de lumière tombant en plein sur le coffre-fort qui était entrebâillé. A côté de cette table, sur la chaise de bois, était assis le docteur Grimesby Roylott, vêtu d'une longue robe de chambre grise, au-dessous de laquelle dépassaient ses chevilles nues et ses pieds enfoncés dans des babouches rouges. En travers de ses genoux était placé le fouet à manche court et à longue lanière que nous avions remarqué dans la journée. Il avait la tête renversée en arrière, et son regard effroyablement fixe était tourné vers un coin du plafond. Autour de son front était enroulé un bandeau jaune, d'un bizarre aspect et parsemé de mouchetures brunes, qui semblait lui enserrer étroitement la tête. Il ne proféra, à notre entrée, aucune parole et ne fit aucun geste. « La bande ! la bande mouchetée ! » murmura Holmes.

Je fis un pas en avant. Immédiatement le turban se mit à se dérouler de lui-même, et je vis surgir parmi ses cheveux la tête triangulaire et plate et le cou gonflé d'un reptile. « C'est une vipère de marais ! s'écria Holmes, le plus venimeux de tous les serpents de l'Inde. Le docteur est mort, dix secondes après avoir été mordu. Le misérable aura été son propre bourreau, car il vient de tomber lui-même dans le guet-apens qu'il avait préparé pour sa victime. »

> A. Conan Doyle [1], *La bande mouchetée*,
> Aventures de Sherlock Holmes, Éd. R.
> Simon, trad. de René Lécuyer, p. 83 à 85.

LA MAIN MYSTÉRIEUSE

Gaston Leroux fut le meilleur disciple de Conan Doyle. Son héros est un jeune journaliste Joseph Rouletabille qui, tel Sherlock Holmes, procède par observation, puis

---

1. Sir Arthur Conan Doyle, romancier anglais, né à Edimbourg, 1859, mort à Crowdorough (Sussex), 1930. Il étudia à l'université d'Edimbourg. Tout en exerçant la profession de médecin, il se fit connaître comme romancier : *White company*, 1890. A la même date, il introduisit en Angleterre le roman policier par la série des *Aventures de Sherlock Holmes*, 1891.

déduction. Il est chargé de protéger le général russe Trébassof, condamné à mort par les nihilistes pour avoir
réprimé impitoyablement les émeutes de Moscou en
1905. Le drame se déroule dans une datcha, sur les bords
du golfe de Finlande. Plusieurs attentats ont été miraculeusement déjoués. Mais le péril grandit : Rouletabille
a la certitude qu'une nouvelle tentative va avoir lieu.
Il veille, la nuit, en compagnie de Matrena, l'épouse du
condamné.

(...) Le reporter fit un signe, et, suivi de Matrena,
s'avança sur la pointe des pieds jusque sur le seuil
de la chambre du général, en rasant les murs. Féodo-
rovitch reposait. On entendait son souffle fort, mais
il paraissait jouir d'un sommeil de paix. Les hantises
de la nuit précédente l'avaient fui. Et la générale avait
peut-être raison en partie d'attribuer les fameux
cauchemars au narcotique mis à sa disposition chaque
soir, car le verre où il puisait lors de ses insomnies
était encore plein, et, visiblement, on n'y avait point
touché. Le lit du général était placé de telle sorte que
celui qui l'occupait, eût-il eu les yeux grands ouverts,
n'eût pu voir tourner la porte donnant sur l'escalier
de service. La petite table sur laquelle on avait déposé
le verre et les différentes fioles et qui avait supporté
le dangereux bouquet [1] était placée près du lit, un
peu en retrait, et plus près de la porte. Rien n'avait
dû être plus facile, pour quelqu'un qui pouvait entr'ouvrir cette porte, d'allonger le bras et de déposer la
boîte infernale parmi les herbes sauvages, surtout
si, comme il fallait le croire, on avait attendu pour
cette besogne que le souffle bruyant du général eût
averti que celui-ci dormait et si, en regardant par
le trou de la serrure, on avait constaté que Matrena
était occupée alors dans sa propre chambre (...).

Ils s'accroupirent sur le matelas, tous deux. Rouletabille s'était croisé, bien posément, les jambes en
tailleur au travail ; mais Matrena resta à quatre
pattes, la mâchoire en avant, les yeux fixes, comme un

---

1. Quelques jours plus tôt, une bombe à retardement avait été déposée dans
un bouquet, au chevet de Trébassof.

bouledogue prêt à se ruer. Les minutes s'écoulaient dans un profond silence, troublées seulement par la respiration irrégulière et soufflante du général. La figure de celui-ci se détachait, blême et tragique sur l'oreiller ; la bouche était entr'ouverte et, par instants, les lèvres remuaient. On put craindre une seconde le retour du cauchemar ou le réveil. Inconsciemment, il allongea un bras du côté de la table où se trouvait le verre au narcotique. Et puis, il s'immobilisa et ronfla légèrement. La veilleuse, sur la cheminée, accrochait de rares reflets jaunes à des coins de meubles, faisait briller le cadre d'un tableau sur le mur, mettait une étoile vacillante au ventre des fioles. Mais, dans toute la chambre, Matrena Petrovna ne voyait, ne regardait que le verrou de cuivre qui brillait là-bas, sur la porte. Fatiguée d'être sur les genoux, elle s'allongea, le menton dans les mains, le regard toujours fixe. Et, comme rien n'arrivait, elle poussa un soupir. Elle n'eût pu dire si elle espérait ou redoutait la venue de ce quelque chose de nouveau que lui avait promis Rouletabille. Des heures s'écoulèrent. Rouletabille la sentait frissonner d'angoisse et d'impatience.

Quant à lui, il n'avait point espéré qu'il se passerait quelque chose avant les premières lueurs du jour, moment où chacun sait que le sommeil de plomb est vainqueur de toutes les veilles et de toutes les insomnies. Et, en attendant cette minute-là, il n'avait pas plus bougé qu'un magot de Chine, ou que le cher petit domovoïdoukh [1] de porcelaine dans le jardin. Enfin, il se pouvait très bien que ce ne fût point pour cette nuit-là. Soudain, la main de Matrena se posa sur celle de Rouletabille. Celui-ci la lui emprisonna et la lui serra plus fort, si fort que Matrena comprit qu'il ne lui permettait plus un mouvement. Et tous deux avaient le cou tendu... les oreilles dressées, comme des bêtes... comme des bêtes... à l'affût... Oui... oui... il y avait un petit bruit dans la serrure... Une clé tournait... doucement... doucement dans la

---

1. Génie familier.

serrure ; et puis, le silence... et puis un autre petit bruit, un grincement, un léger crissement d'acier... là-bas sur le verrou... sur le verrou qui brille... Et le verrou, tout doucement... tout doucement, sur la porte, glissa tout seul... tout seul... Et puis, la porte fut poussée lentement... si lentement... entr'ouverte... et, par l'ouverture... l'ombre d'un bras... s'allongea... s'al...lon...gea... un bras au bout duquel il y avait quelque chose qui brillait... Rouletabille sentit Matrena prête à bondir... il l'entoura, il l'étreignit de ses bras, il la brisait en silence... Et il avait une peur horrible de l'entendre soudain hurler pendant que le bras... s'allongeait... touchant presque le chevet du lit où le général continuait de dormir d'un sommeil de paix que depuis longtemps il ne connaissait plus... La main mystérieuse tenait une fiole dont elle vida le contenu dans la potion. Et puis, comme elle était venue, la main se retira, lentement, prudemment, sournoisement, et la clé tourna dans la serrure, et le verrou reprit sa place.

> Gaston Leroux [1], *Rouletabille chez le tsar*, Éd. P. Lafitte 1913, ch. VI.

Une scène angoissante, digne d'un roman noir. L'art du suspense crée l'anxiété : un drame couve, mais il est imprévisible. La terreur naît de la présence d'un ennemi inconnu dont on ne voit que le bras.
— Structure dramatique : l'homme à abattre, évoqué dans un décor familial dont la connaissance est indispensable; l'attente exaspérante; la main tenant la fiole.

(à suivre)

---

1. Gaston Leroux, journaliste et romancier, né à Paris en 1868, mort à Nice en 1927. Fit son droit, entra dans le journalisme, aborda le grand reportage, essaya du théâtre, trouva sa voie en imaginant le type qui devint vite populaire du reporter Rouletabille, héros de passionnants romans policiers : *Le mystère de la chambre jaune*, 1908, *Le parfum de la dame en noir*, 1909, *Le fantôme de l'Opéra*, 1910, *Le fauteuil hanté*, 1911, *Rouletabille chez le tsar*, 1913, *Les étranges noces de Rouletabille*, 1916. Il campa aussi le personnage de Chéri-Bibi, le réprouvé au grand cœur.

(suite)

— Importance des objets qui se font les complices du meurtrier : le bouquet à la bombe, le verre au narcotique, la veilleuse, le verrou, le magot en porcelaine, fétiche indigène.
— Des effets de cadrage : le visage du condamné en gros plan, la porte fatale; des effets du rythme qui va en se ralentissant : minutie de la description; lenteur de la garde; étirement de la durée quand le bras s'allonge.
— Observer que tout est vu par l'intermédiaire de Matrena : sa posture de bête aux aguets, ses pensées, ses terreurs. Rouletabille semble un personnage sans nerf, sans cerveau : il est l'homme énigmatique, déchiffreur d'énigmes.

ROULETABILLE CONTRE FANTOMAS

« (...) Gaston Leroux est chronologiquement l'un des premiers grands maîtres de l'insolite, et l'un des plus conscients. « C'était monstrueux et captivant », dit-il d'un château où se mêlent tous les styles : sa modernité ressort bien dans un tel jugement. Tout est possible dans ses romans : des traces de pas sur un plafond, un train qui disparaît entre deux gares, une boîte carrée munie de petites jambes qui court la nuit place Dauphine, un homme qui meurt deux fois de suite, un autre qu'on abat à coups de fusil et qu'on retrouve poignardé, etc. Nous sommes dans l'univers de la mystification et plus précisément du canular : les héros de ces déroutantes aventures ont bien besoin de « prendre la raison par le bon bout », comme dit Rouletabille, et la dialectique des contradictoires n'a pas de secrets pour eux. (« Ne dites donc point qu'une chose est possible quand il est impossible qu'elle soit autrement »), ce qui ne les empêche pas d'opérer les déductions les plus ahurissantes : « Bientôt un crâne s'étant présenté à nous avec une chandelle allumée dans l'œil gauche, j'en conclus que nous entrions enfin dans l'empire des vivants. » (*La double vie de Théophraste Longuet*)

Gaston Leroux, on l'a compris, est un humoriste d'envergure, jamais à court d'idées, digne contemporain d'Alphonse Allais : à un boucher qui tuait un veau chaque jour clandestinement, le même Théophraste Longuet, inquiet, assure que « ça finira par se savoir chez les veaux ».

En face de cet artiste authentique, Pierre Souvestre et Marcel Allain font figure de galériens de la plume, écrivant leur roman mensuel (les trente-deux épisodes de *Fantomas* ont été publiés en trente-deux mois) au dictaphone et ne corrigeant même pas leur prose sur copies dactylographiées, mais sur épreuves. Ils n'ont tenu la cadence qu'à force d'imiter tout ce qu'ils avaient lu : il n'y a guère de scène pittoresque dans leurs œuvres qui ne soit prise ailleurs, à commencer par le train disparu de Gaston Leroux, qui est replacé dans un des premiers épisodes de *Fantomas* (en attendant que l'infatigable Marcel Allain le réutilise pour son propre compte sous forme de métro disparu) ; même leur Paris nocturne, où sont situées les rares belles pages de *Fantomas*, doit beaucoup à celui de Jean Lorrain.

Quant à leur technique romanesque, elle est d'une maladresse ahurissante : un héros, Fantomas, qu'on ne voit jamais ; un policier, Juve, qui nous est présenté comme le plus fin limier d'Europe et qui conduit ses enquêtes de façon ridicule (il faut le voir, dans *Le fiacre de nuit*, surveiller un grand magasin d'un hamac suspendu au plafond) ; des intrigues parallèles qui se chevauchent sans nécessité ; des crimes parfaitement gratuits qui ne procurent à Fantomas que le plaisir de mal faire, comme le vitriol substitué au parfum dans le même *Fiacre de nuit*.

Contrairement à un Arsène Lupin ou à un Chéri-Bibi, qui sont des bandits au grand cœur, Fantomas est une parfaite canaille dans la lignée de Rocambole, mais sans la dimension libertaire de celui-ci : le message de la série, résumé par Marcel Allain en personne c'est « l'idée dominante du crime impuni, de l'impuissance de la police, de la relativité de la justice ». Tout paraît conjugué pour rendre ces romans aussi déplaisants qu'illisibles.

Or, Fantomas est devenu beaucoup plus célèbre que les héros de Gaston Leroux. C'est Apollinaire qui a attaché le grelot dès 1914, dans une chronique du « Mercure de France » ; Cendrars, Cocteau, Max Jacob, les surréalistes, emboîtant le pas, de plus en plus dithyrambiques, à mesure que les années passaient (*Fantomas* était *l'Iliade* de notre temps, écrira Cendrars). Aberration collective ? Peut-être pas : la série des *Fantomas* fut publiée de février 1911 à septembre 1913 ; l'article d'Apollinaire date de juillet 1914 ; dans l'intervalle étaient sortis les cinq films consacrés à *Fantomas* par Louis Feuillade, et dont le moins qu'on puisse dire est qu'ils étaient très supérieurs à l'original (« Feuillade tirait de notre œuvre ce qu'elle avait de mieux », avouait Allain). C'est « grâce à la vogue que lui a conférée le cinéma », comme l'écrit Apollinaire, que *Fantomas* a trouvé un public cultivé.

Il reste que les spectateurs des films ont lu les romans et qu'Apollinaire encore soutient que « la lecture des romans populaires d'imagination et d'aventures est une occupation poétique du plus haut intérêt ». Mais cette simple phrase, à qui sait la lire, donne la clé du problème : Cendrars, Cocteau, Jacob, Desnos ont surtout vu dans *Fantomas* un sujet de poèmes, et d'autant plus propre à susciter leur admiration que le modèle était moins cohérent, moins ordonné.

Somme toute, c'est à sa médiocrité que *Fantomas* doit d'avoir été un sujet d'expériences privilégié pour les surréalistes. Il est cependant regrettable qu'aujourd'hui des épigones viennent nous dire que c'est le chef-d'œuvre des chefs-d'œuvre. Je préfère, pour ma part, continuer à savourer Gaston Leroux.

Jacques Goimard, *Rouletabille contre Fantomas*, Le Monde, 25 juillet 1970, p. 15.

UNE ÉVASION TRUQUÉE

Joseph Heurtin a été condamné à mort pour un double meurtre. Mais le commissaire Maigret qui a dirigé l'enquête a des doutes sur sa culpabilité : il soupçonne une machination. Tourmenté par la terreur de faire guillotiner un innocent, il obtient du directeur de la prison et du juge Coméliau l'autorisation de faire évader l'accusé. Ainsi, espère-t-il, en le filant, pouvoir découvrir de nouveaux indices.

Les trois hommes guettent Heurtin qui est persuadé qu'un ami inconnu a travaillé à sa délivrance.

Le groupe était à moins de cinquante mètres du prisonnier invisible, dans un renfoncement, près d'une porte où il était écrit : « Économat ». Le commissaire Maigret dédaignait de s'adosser au mur de brique sombre. Les mains dans les poches de son pardessus, il était si bien planté sur ses fortes jambes, si rigoureusement immobile qu'il donnait l'impression d'une masse inanimée. Mais on entendait à intervalles réguliers le grésillement de sa pipe. On devinait son regard, dont il ne parvenait pas à éteindre l'anxiété. Dix fois, il avait dû toucher l'épaule du juge d'instruction Coméliau qui ne tenait pas en place. Le magistrat était arrivé à 1 heure d'une soirée mondaine, en habit, sa fine moustache redressée avec soin, le teint plus animé que d'habitude. Près d'eux, la mine renfrognée, le col du veston relevé, se tenait M. Gassier, le directeur de la Santé, qui feignait de se désintéresser de ce qui se passait. Il faisait plus que frais. Le gardien, près de la poterne, frappait le sol du pied et les respirations mettaient dans l'air de fines colonnes de vapeur.

On ne pouvait distinguer le prisonnier, qui évitait les endroits éclairés. Mais, quelque soin qu'il prît de ne pas faire de bruit, on l'entendait aller et venir, on le suivait en quelque sorte dans ses moindres démarches.

Après dix minutes, le juge se rapprocha de Maigret, ouvrit la bouche pour parler. Mais le commissaire lui serra l'épaule avec une telle force que le magistrat se tut, soupira, tira machinalement de sa poche une cigarette qui lui fut prise des mains. Tous trois avaient compris. Le 11 [1] ne trouvait pas sa route, risquait d'un moment à l'autre de tomber sur une ronde. Et il n'y avait rien à faire ! On ne pouvait pas le conduire jusqu'à l'endroit où, au pied du mur, l'attendait un paquet de vêtements et où pendait une corde à nœuds. Parfois une voiture passait dans la rue. Parfois aussi des gens parlaient et les voix résonnaient d'une façon toute spéciale dans la cour de la prison. Les trois hommes ne pouvaient qu'échanger des regards. Ceux du directeur étaient hargneux, ironiques, féroces. Le juge Coméliau, lui, sentait croître son inquiétude en même temps que sa nervosité. Et Maigret était le seul à tenir bon, à avoir confiance, à force de volonté. Mais s'il eût été en pleine lumière, on eût constaté que son front était luisant de sueur.

Quand sonna la demie, l'homme flottait toujours à la dérive. Par contre, la seconde d'après, il y eut un même choc chez les trois guetteurs. On n'avait pas entendu un soupir. On l'avait deviné. Et on devinait, on sentait la hâte fébrile de celui qui venait enfin de buter dans le paquet de vêtements et d'apercevoir la corde.

Les pas de la sentinelle rythmaient toujours la fuite du temps. Le juge risqua, à voix basse : « Vous êtes sûr que... » Maigret le regarda de telle sorte qu'il se tut. Et la corde bougea. On distingua une tache plus claire le long du mur : le visage du 11, qui se hissait à la force des poignets. Ce fut long ! Dix fois, vingt fois plus long qu'on ne l'avait prévu. Et quand il arriva au sommet, on put croire qu'il abandonnait la partie, car il ne bougeait plus. On le voyait maintenant en ombre chinoise aplati sur le couronnement. Est-ce qu'il était pris de vertige? Est-ce qu'il hésitait à descendre dans la rue? Est-ce que des passants

---

1. Le numéro de la cellule qu'occupait Heurtin dans le quartier des condamnés à mort.

ou des animaux blottis dans une encoignure l'en empê-
chaient? Le juge Coméliau fit claquer ses doigts
d'impatience. Le directeur dit à voix basse : « Je
suppose que vous n'avez plus besoin de moi... » La
corde fut enfin hissée, pour être déployée de l'autre
côté. L'homme disparut. « Si je n'avais pas une telle
confiance en vous, commissaire, je vous jure que je
ne me serais jamais laissé entraîner dans une pareille
aventure... Remarquez que je continue à croire
Heurtin coupable !... Supposez maintenant qu'il nous
échappe... — Je vous verrai demain? se contenta de
questionner Maigret. — Je serai à mon cabinet à
partir de dix heures... » Ils se serrèrent la main, en
silence. Le directeur ne tendit la sienne qu'avec mauvaise grâce, grommela en s'éloignant des mots indis-
tincts.

Georges Simenon, *La tête d'un homme*, Éd.
Fayard, 1963, chap. I, p. 11 à 15.

CRIMES EN SÉRIE

Le romancier Jean Bruce met en scène un agent secret
américain d'origine française, Hubert Bonisseur de la
Bath. Ce « superman », à l'instar de James Bond, accomplit
dans les régions les plus lointaines de périlleuses missions
de contre-espionnage; il se joue des pires dangers. Le
voici à Macao, chargé d'enquêter sur la disparition d'un
de ses collègues. Il se rend au domicile d'une danseuse
chinoise, Chau Laï, qu'avait fréquentée le disparu.

Elle n'était pas arrivée. Bon, ce n'était pas grave.
Il s'adossa à la porte, afin de se mettre un peu à l'abri.
La pluie tombait toujours avec la même régularité.
Un vrai temps de chien, pour ne pas dire de cochon.
Le chauffeur de la voiture, qu'il avait louée dans un
garage de l'Avenida Almeido Ribeira venait d'éteindre
les phares. Dans l'obscurité, sous la pluie, le coin
était parfaitement sinistre. Des échos d'une querelle
troublaient le silence. Puis un gosse se mit à pleurer.

Hubert commençait à trouver le temps long, et le chauffeur allait s'impatienter.

Il pivota sur ses talons et tourna la poignée de la porte en poussant afin de tâter les verrous, avec l'arrière-pensée de forcer la serrure pour entrer. A sa grande surprise, le battant céda sous sa poussée... Il resta un instant immobile sur le seuil, tous ses sens aux aguets. Il ne voyait rien, absolument rien, mais il sentait : une odeur fade, écœurante, qu'il connaissait bien. Et il savait ce qu'il allait découvrir avant même d'allumer sa lampe.

Le corps était allongé sur un grabat, au fond de la pièce, dans un véritable bain de sang. Hubert repoussa la porte et promena le faisceau de sa lampe autour de lui. C'était un intérieur misérable, mais propre et ordonné. Aucun bouleversement. Ils avaient tué la femme, puis étaient repartis. Une table de bois, couverte d'une toile cirée, occupait le centre de la pièce unique. Un bol à riz était posé dessus; à côté du bol se trouvait la cuillère de porcelaine fleurie. Il y avait quelque chose dans le bol, quelque chose de rouge. Hubert approcha, braquant sa lampe et fit une affreuse grimace... Le bol contenait une langue, une langue humaine. Hubert fit un quart de tour, éclaira la tête du cadavre... Pas la peine de chercher plus loin. L'assassin avait coupé la langue de Chau Laï Ping, après l'avoir tuée, ou avant. Et cela avait été fait intentionnellement, pour lui... afin de bien lui faire comprendre que les démarches qu'il avait entreprises pour retrouver la trace d'Arthur O'Brien ne plaisaient pas à certaines gens et que ces gens-là ne reculeraient devant rien pour l'empêcher d'aboutir... (Hubert fouille la pièce, trouve des lettres.)

Après une dernière inspection, il essuya avec son mouchoir tous les objets sur lesquels il avait pu laisser ses empreintes, y compris les poignées de la porte qu'il referma derrière lui en sortant. Il pleuvait toujours. Hubert marcha rapidement jusqu'au carrefour. La voiture était là, tous feux éteints. Hubert fit une légère pause, le temps d'inspecter du regard les environs immédiats. Rien de suspect. Il allait être obligé

de prendre une décision concernant le chauffeur.
Dès le lendemain, le cadavre de Chau Laï Ping serait
sûrement découvert. La police ferait une enquête.
Les journaux s'en empareraient. Rien n'empêche-
rait l'homme d'aller dire aux policiers que, le soir
du crime, il avait conduit un homme blanc sur les
lieux... Il atteignit la voiture. L'homme était couché
sur le volant. Il avait dû s'endormir, Hubert monta
derrière et lui toucha l'épaule. « Hep! fit-il. » Puis il
se figea. Son regard, accoutumé à l'obscurité relative,
venait d'accrocher le manche d'un poignard fiché
dans le dos de l'homme.

> Jean Bruce, *Chinoiseries pour O.S.S.*117, Éd.
> Presses de la Cité, 1960.

UNE SITUATION CRITIQUE

Un révolutionnaire, recherché par la police française,
Vosgien, s'est réfugié dans une République sud-américaine
où il prépare de nouveaux attentats. Il vient de disparaître
subitement, disparition qui inquiète les pouvoirs officiels.
Le commissaire San Antonio est chargé de l'enquête.
Il retrouve Carole, la fille du disparu. Mais un partisan
de Vosgien, s'imaginant que le policier séquestre son chef,
menace d'égorger la jeune fille : il veut voir aussitôt
« senhor Vosgien ». (L'auteur Frédéric Dard écrit dans une
langue argotique, pleine de crudités, de jeux de mots,
de néologismes.)

A la lumière des phares, je découvre une hacienda [1]
au loin. Un plan d'urgence s'échafaude dans ma petite
tronche bouillante. Je vais déclarer au zig que c'est
ici que se cache Vosgien. Il exigera que je l'accompagne
jusqu'à la porte. J'obéirai. Nous frapperons. Le
temps que le pèlerin habitant cette demeure par-
lemente, je trouverai sûrement l'occasion de désarmer le bandit.

---

1. Une ferme.

« C'est là ! » fais-je, en levant le pied. Je me range devant un balcon de bois. Tout est éteint. « Levez les bras ! » fait notre agresseur. J'obtempère en voyant sourdre un menu filet de sang au cou de Carole. Le malin avance un bras fulgurant dans l'ouverture de ma veste et me cueille le flingue avant que j'aie eu le temps de comprendre. Il a de la technique, du brio, une forte expérience. « Allez chercher senhor Vosgien, et si vous ramenez pas, je tue ! et si vous prenez un autre pistolet, je tue aussi ! Et si plusieurs hommes sortent, je tue. — Tu tues, turlututu tues, quoi ! » grommelai-je. Un nouveau soupir de notre Carole nationale me rend compte de son retour à la lucidité. Elle a un nouveau cri de détresse en découvrant que la situation non seulement est inchangée, mais qu'elle porte une petite estafilade au cou. « Restez calme, Carole, et tout ira bien », promets-je en sortant de l'auto. Moi, vous me connaissez. Mes actions d'éclat, je les ai toujours accomplies sans y penser, mû par l'instinct. J'agis automatiquement, comme si un ordinateur électronique me prenait brusquement en charge. En sortant de la guinde, j'empoigne l'antenne de radio, laquelle est développée au maximum, et je culbute en poussant un cri. Me voici accroupi contre la roue avant gauche. A ce moment seulement, le traczir m'empare [1]. Je me dis que de deux choses l'une : ou bien le nettoyeur de trachée (artère) va égorger Carole et sortir de l'auto, ou bien il va sortir sans l'égorger. En culbutant, j'ai simulé — admirablement, m'a-t-il semblé — l'embardée d'un gars qui vient de se prendre les pinceaux dans un fil de fer. Pour parfaire l'illusion, je me mets à geindre. M'étonnerait que le zigoto soit dupe d'une ruse aussi grossière. Enfin, attendons (d'Achille).

Un instant se passe. Et puis le visage du mec passe par la portière.

« Je me suis tordu la jambe, gémis-je. Aidez-moi ! » Pas folle, la guêpe. Il sort mon feu et me braque.

---

1. L'angoisse me saisit.

« Debout! dit-il dans cette langue que je ne parle pas, mais que je me suis mis à si bien comprendre. — Je ne peux pas, lui réponds-je dans le même idiome. Il se penche un peu plus, sans pour autant sortir de l'auto — Debout! répète l'obstiné ». Alors, je lâche l'antenne en souhaitant très vivement que la flexion que je lui imprime ne l'ait pas cassée. La tige de métal m'échappe des doigts en sifflant et fouette à toute volée la frime du surineur. Il pousse un cri de chacal auquel on marche sur la queue. Ça donne quelque chose comme « Vrrrouha ». Il a lâché le pétard pour porter la main à son visage. San-A., plus souple, plus félin, plus puissant que le chacal en question s'est relevé d'une détente et a sauté sur la tronche du mec. Il y a un choc très, très moche. Un claquement très, très sinistre. La tête du type pend hors de la portière, inerte. Dans ma fougue, j'ai pressé trop fort et ses vertèbres cervicales ont déjanté sur le bord de la vitre pas entièrement baissée. Anxieux, je me penche et je vois le regard horrifié de Carole. Dieu soit loué (au mois ou à la petite semaine !) il ne l'a pas tuée avant de se pencher par la portière.

San Antonio (Frédéric Dard), *Béru contre San Antonio*, Éd. Fleuve noir, ch. V.

● **Les croisés du XXᵉ siècle**

« Les héros les plus courants des bandes dessinées sont du type redresseurs de torts ou aventuriers solitaires. A côté de la famille des lords de la jungle (Tarzan et Cⁱᵉ), on trouve le clan des Super-quelque chose (Superman, Superboy, Amok, le Fantôme), le magicien Mandrake, le justicier Zorro, etc., qui tous prouvent la supériorité de la bravoure individuelle sur les forces de l'ordre. Évidemment, ils appartiennent sans exception à la race blanche, l'immense majorité des lecteurs aussi. Les représentants des autres races se cantonnent dans les rôles de domestiques, d'ennemis héréditaires ou de figurants pittoresques.

Il en va pour les romans policiers comme pour les « comics ». San Antonio, Coplan, Alex Glenne, agents français, ou Dex Martson, agent américain, nous sont présentés comme « des montagnes de muscles avec un visage ouvert et un je ne sais quoi dans le regard qui inspire confiance » (ainsi M.G. Braun décrit-il son héros). Si nécessaire, ces « purs et durs » se transforment en tortionnaires. Ils connaissent — le lecteur aussi — l'art d'obtenir des renseignements. Les « méchants » n'ont pas le monopole de la baignoire ou des électrochocs. Heureusement pour la bonne cause, qui ne prête jamais à discussion. C'est eux — les Chinetoques, les bougnouls, les communistes, les gangsters, voire même les Américains — ou c'est nous — les Occidentaux, les chrétiens, les Blancs, les Français, les civilisés. (...)

L'aventure pure, lot des Zorros ou des Tarzans, ne se renouvelle guère. Le justicier se bat toujours de la même façon contre d'identiques brigands ou sauvages. Mais le merveilleux de Mandrake ou du Fantôme, n'est pas dénué de poésie, les savants bizarres qui peuplent les histoires d'anticipation, multiplient les inventions diaboliques et meurtrières, les récits d'horreur possèdent une belle collection de monstres marins ou ailés, de revenants et de succubes [1].

Avec les romans policiers, et surtout avec les romans d'espionnage, nous accédons aux couches d'intellectuels de la littérature parallèle. Les premiers se soucient moins de poser une énigme que de peindre une atmosphère. Rival heureux de la Série Noire, le Fleuve noir reconnaît à celle-ci « le mérite de nous avoir délivrés de la chambre close où dépérissait le roman policier » (comme M. de Caro se plaît à le constater). Il ne s'agit plus pour le lecteur de deviner, mais de sympathiser, d'emboîter le pas et de vibrer. La différence entre policier et espionnage va d'ailleurs en s'estompant. *Sous l'œil des vautours*, de Roger Vilard, retrace par exemple les aventures d'un mercenaire blanc, un

---

1. Démon qui, suivant l'opinion populaire, prend la forme d'une femme.

« Affreux » aux prises avec des roitelets africains. Ce livre, publié dans la collection Spécial-Police (Fleuve noir), se situe dans un contexte politique propre aux récits d'espionnage. Mais ces derniers exigent du lecteur un plus grand effort de réflexion, ainsi qu'une certaine curiosité technique et un vocabulaire scientifique à la page.

Si les livres s'achèvent invariablement par le triomphe du bien (monopole des puissances occidentales), sur le mal (les États communistes, les politiciens du « tiers monde »), la diplomatie américaine n'inspire guère le respect. « Avec les Américains, on peut s'attendre à tout, mais ça ! », s'exclame le chef des services spéciaux français en apprenant que Washington menace la neutralité du Cambodge (cf. L.G. Braun, *Du même enfer*) ; et Paul Kenny (*Bagarre à Bogota*) va jusqu'à envisager une émancipation de la Colombie qui sortirait de l'orbite américaine grâce à l'aide atomique de la France !

L'enquête effectuée par le Syndicat des éditeurs évalue à 73 % des agriculteurs et 60,5 % des ouvriers la proportion de consommateurs de « concurrents du livre. »

Le succès des bandes dessinées provient d'abord des enfants (74 % d'entre eux en lisent au moins une par semaine et 15 % en lisent plus de huit). Mais la plupart des fascicules illustrés pourraient adopter la devise des albums Tintin (« Pour tous, de 7 à 77 ans »).

La littérature d'évasion domine donc la culture populaire. Sans doute, comme le constate Escarpit : « Toute lecture est d'abord une évasion. » Mais il y a mille façons de s'évader, et l'essentiel est de savoir vers quoi et de quoi on s'évade. Il ne faut pas confondre l'évasion du prisonnier (qui est une conquête et un enrichissement) avec celle du déserteur (qui est une défaite et un appauvrissement)... »

Extraits de l'article : « Du sang, de la volonté et de la mort », de Gabrielle Rolin, *Le Monde*, 19 avril 1967.

● **L'aventure ressuscitée**

UNE HISTOIRE DE SIOUX

Les Sioux de Petite Corneille ont attaqué le ranch des Harris. Ils ont capturé les deux fillettes qui, en voyant les Indiens, se sont mises à crier. La scène se passe en août 1862.

A la cabane, on entendit ce hurlement déchirant, cet unique hurlement, aussitôt étouffé. On savait ce qu'on avait à faire : on y était préparé, car cela pouvait arriver un jour ou l'autre, dans n'importe quelle ferme de la frontière. Hannah Harris empoigna le bébé Willie et n'hésita qu'un instant avant de s'écrier : « Les filles?... » Le père était déjà à l'intérieur. Il tendit un fusil à son fils aîné et prit l'autre pour lui. A Jim qui avait seize ans, il lança brièvement : « La hache, mon gars. » « Courir nous cacher, vite » pensa Hannah ; mais les fillettes étaient comprises dans le plan, élaboré depuis longtemps. Elle devait emmener les quatre plus jeunes enfants, Johnny inclus, le petit garçon simple d'esprit. Le bref cri de terreur et ce qu'il signifiait l'avait trop profondément bouleversée pour qu'elle fût capable de passer par-dessus ce qui avait été décidé, et de partir sans les filles.

Oscar rugit : « Cours vers les joncs ! Est-ce que tu es folle? » Il la tira de sa léthargie. Le bébé sous le bras, elle se mit à courir en dévalant la colline, vers un endroit de la berge où les joncs étaient hauts...

Si elle put atteindre les joncs, avec ses deux plus jeunes enfants, c'est bien parce que les hommes, Oscar, Jim et Zeke retardèrent les Indiens pendant quelques minutes. Ils auraient pu se barricader dans la cabane et résister aux assaillants pendant plus longtemps ; mais les Indiens qui approchaient auraient en ce cas remarqué le remue-ménage affolé qui était en train de se faire dans les joncs. Oscar,

Jim et Zeke ne se défendirent pas : ils attaquèrent. Le père en tête, ils coururent vers le ruisseau et affrontèrent les Indiens au milieu des taillis. Ils gagnèrent ainsi un peu de temps, les quelques minutes nécessaires à Hannah et à ses deux enfants pour se glisser à l'abri des joncs, et ils le payèrent de leur vie.

Hannah choisit un autre moyen de gagner du temps. Elle entendit les envahisseurs qui détruisaient à coups de hache tout ce qu'ils trouvaient dans la cabane. Elle entendit leurs hurlements de joie quand ils y découvrirent des vêtements, des ustensiles de cuisine et de la nourriture. Elle resta dans les joncs aussi longtemps qu'elle le put. Mais quand elle sentit l'odeur de la fumée — la cabane qui brûlait — elle comprit que les Indiens, n'ayant plus rien à faire là-bas, viendraient dans les parages, histoire de continuer le massacre. Alors, elle jeta le bébé dans les bras de Johnny et elle lui dit, le visage farouche : « Toi, occupe-toi de lui ; tu ne dois pas le lâcher, sauf s'ils te tuent. » Elle ne lui donna pas d'autre instruction, elle ne lui indiqua aucun lieu où ils seraient en sécurité. Un tel endroit ne devait pas exister ! Elle embrassa son fils sur le front, et elle embrassa le bébé par deux fois, parce qu'il était tellement sans défense et parce que grâce au ciel, il ne pleurait pas... S'éloignant vers la gauche, elle rampa de manière à ce qu'on ne la vît pas surgir directement de la cachette. Puis elle émergea des joncs, ruisselante ; poussant des cris perçants, elle remonta la colline et se dirigea droit vers les Indiens.

Quand ils descendirent à sa rencontre, elle fit mine d'hésiter et rebroussa chemin. Elle courut, toujours criant, vers la rivière, comme si elle était folle au point de ne plus savoir ce qu'elle faisait. Mais elle le savait fort bien. Elle se conduisait exactement comme l'alouette des prairies quand son nid est menacé. Mais l'alouette des prairies agit d'instinct, non selon un plan établi. Hannah Harris, elle, devait combattre son instinct, lequel lui suggérait de sauver sa propre vie.

Sentant s'abattre sur elle les dures mains, elle mit

son bras sur ses yeux pour ne pas voir arriver la mort...

> Dorothea Johnson, *Flammes sur la frontière, Les plus belles nouvelles du Far West*, trad. Reine Kruh, éd. R. Laffont, 1968.

LES CHERCHEURS D'OR DE CALIFORNIE

Un aventurier originaire du pays de Bade, Johann August Suter, « banqueroutier, fuyard, rôdeur, vagabond, voleur, escroc » débarque clandestinement en Amérique. Il traverse les États-Unis d'est en ouest et décide de tenter sa chance en Californie. 1838... C'est l'époque de la ruée vers l'or.

La piste s'étend sur des milliers de lieues, flanquée, tous les cent milles, d'un fort en bois entouré d'une palissade. Les garnisons, munies même de canons, luttent avec les Peaux-Rouges. C'est une guerre d'atrocités et d'horreurs. Il n'y a pas de pardon. Malheur à la petite troupe qui tombe entre les mains des sauvages ou dans l'embuscade dressée par les chasseurs de scalpes.

Suter est tout décidé. Il chevauche en tête, monté sur son mustang « Wild Bill » et siffle un air du carnaval de Bâle, un air de fifre. Il pense au petit garçon de Rüneberg à qui il avait donné son dernier écu. Alors, il arrête son cheval. Pile ou face? Et tandis que le doublon monte au ciel comme une alouette : pile, gagne ; face, perd. C'est pile. Il réussira. Et il se remet en marche sans même avoir arrêté ses compagnons, mais plein d'une force nouvelle. Première et dernière hésitation. Maintenant, il ira jusqu'au bout. (...)

La piste remonte la rive droite du Missouri, puis elle oblique à gauche et suit durant plus de 400 lieues, la rive occidentale du Nébraska ; elle franchit les

montagnes Rocheuses près du pic Frémont qui atteint
13 000 pieds, à peu de chose près la hauteur du mont
Blanc. Nos voyageurs la suivent déjà depuis trois
semaines. Ils ont traversé des solitudes toujours
plates, des océans d'herbes où des orages quotidiens,
d'une violence inouïe, éclatent soudainement sur
le coup de midi pour ne durer qu'un quart d'heure,
puis le ciel redevient serein, d'un bleu dur sur les
franges vertes de l'horizon. Ils campent sous le croissant de la lune moucheté d'une belle étoile ; inutile
de songer au sommeil, des myriades d'insectes bour-
donnent autour d'eux, des milliers de crapauds et
de grenouilles saluent la lente éclosion des étoiles.Les
coyotes jappent. C'est l'aube, l'heure magique des
oiseaux, les deux notes invariables de la perdrix.
On repart. La piste fuit sous les sabots rapides des
montures. Le fusil au poing, on quête une proie
possible. Des cerfs bondissent sur le chemin. Dans
le prolongement du sentier, le soleil semblable à
une grosse orange, monte très vite vers le zénith.
(...)

Le 16 août, ils arrivent au Fort-Boisé où il y a un
grand comptoir de la Compagnie de l'Hudson-Bay.
Le capitaine Ermatinger les quitte là, il a rejoint
son poste ; deux femmes entrent au comptoir de la
Compagnie. Ce qui reste de la petite troupe continue
sa route à travers un pays infesté d'Indiens Kooyutt.
Il y a eu une grande famine, les Indiens harponnent
le saumon, bien que ça ne soit pas la saison de pêche
ils sont farouches et menaçants. Il y en a plein des
canoës dans les rivières.

Suter et ses compagnons traversent la région des
grandes forêts de pins géants et arrivent, fin septembre
à Fort Vancouver, qui est un grand centre de pelle-
terie. Les missionnaires sont rendus. La dernière femme
est morte en route de privations. Suter reste seul.

Blaise Cendrars, *L'or*, Grasset, 1925
ch. 11.

● L'aventure et le monde contemporain

UNE AVENTURE DE CONTREBANDIERS

> L'auteur, Henry de Monfreid, fait la contrebande du
> haschich en Érythrée. Parti de Djibouti à bord de son cotre,
> il longe les rives de la mer Rouge. Mais cette navigation
> est pleine de risques.

Je vois venir du nord, courant vent arrière, uu
petit boutre[1] qui suit à la toucher la ligne écumeuse
du récif. Brusquement il vire, entre dans les brisants,
file droit vers le rivage et mouille tout contre terre.
Il vient de passer dans une coupure de récif qu'il
m'aurait été impossible de voir à moins qu'un miraculeux hasard m'ait fait tomber droit sur l'entrée.
Ce bateau me servant de pilote, rien ne me semble
plus simple que de le suivre dans ce mouillage. Mais
en arrivant à la coupure, l'exiguïté du passage et
l'ignorance où je suis de ce qu'il y a après, me fait
brusquement renoncer à mon projet et d'un coup de
barre je vire au large. Cette décision a été si brusque,
si dépourvue d'hésitation, qu'après coup, elle m'a
semblé avoir été imposée par une volonté subcons-
ciente. Je décide de laisser mon bateau au large
à la cape sous le commandement de Mhamed Moussa
et je vais à terre en pirogue avec Abdi et Kadigeta
au cas où nous aurions besoin de parler dankali.
Aussitôt débarqué, je me dirige vers des buissons
où je pense trouver à la rigueur un peu de bois à
brûler. Un indigène accourt vers moi et très insolem-
ment me demande d'où je viens, ce que je veux...
« Et d'abord, lui dis-je, qui es-tu toi-même, toi
qui parles comme un Sultan? — Je suis Askari,
Italien, donne-moi tes papiers et suis-moi au poste. —
Mais qui me prouve que tu es un Askari, où est ton
uniforme, retourne tout seul à ton poste, et estime-
toi heureux que je ne t'apprenne pas à être plus

---

1. Petit bateau à fond plat, employé sur les côtes orientales de l'Afrique.

poli. » Et ce disant, je fais mine de m'avancer vers le bosquet d'arbustes. Alors d'un geste brusque, cet indigène se jette sur moi pour tenter d'arracher le revolver que je porte à la ceinture. Naturellement une lutte s'engage.

Il appelle à son secours les matelots du boutre qui vient d'arriver quelques instants avant moi. J'en vois cinq qui accourent pour lui prêter main-forte. Je suis aidé seulement par Abdi. Kadigeta lui, a pris la fuite vers la mer. Mon agresseur tient bon et ne lâche pas mon revolver auquel il se cramponne de toutes ses forces. Il sait bien qu'en immobilisant mon arme, il m'empêche de tenir en respect les cinq Dankalis qui arrivent sur nous.

Mais de mon bateau, en ce moment tout près de la côte, on ne nous perdait pas de vue et aussitôt que Mhamed Moussa eut compris qu'il y avait une rixe sur la plage, il se mit à tirer des coups de fusil pour effrayer nos agresseurs. Les armes du bord sont des fusils Gras, à poudre noire, aux détonations très bruyantes et bientôt le navire fume comme en un combat naval tel qu'on les voit sur les images populaires. Aussitôt les Dankalis qui allaient nous atteindre, se jettent à plat ventre et mon prétendu Askari italien lâche prise et abandonne même son chama blanc, agrippé par Abdi, pour s'enfuir tout nu se cacher derrière les dunes.

> Henry de Monfreid, *Croisière du has-chich*, Éd. Grasset, 1933.

CAPOTAGE DANS LE DÉSERT

Saint-Exupéry, disparu en Méditerranée en 1944, au cours d'un vol de reconnaissance reste célèbre comme aviateur, comme écrivain, comme penseur. Pionnier de la ligne Paris-Santiago, il vécut dangereusement avant de connaître une fin tragique. Son talent d'auteur lui permit d'analyser l'état d'âme de l'aviateur, seul, en plein ciel, d'exalter les qualités humaines qui longtemps permirent à ses compagnons et à lui-même, d'échapper à la mort. Alors qu'il tentait un raid Paris-Saigon, en décembre 1935, son avion s'est brisé dans le désert égyptien. Avec son mécanicien, Saint-Exupéry, perdu dans « un monde minéral », marche mourant de soif, en proie à des hallucinations et à des mirages, pour trouver des secours.

Nous sommes sauvés, il y a des traces de pas sur le sable !... Ah ! nous avions perdu la piste de l'espèce humaine, nous étions retranchés d'avec la tribu, nous nous étions retrouvés seuls au monde, oubliés par une migration universelle, et voici que nous découvrons, imprimés dans le sable, les pieds miraculeux de l'homme. (...) Et cependant, nous ne sommes point sauvés encore. Il ne nous suffit pas d'attendre. Dans quelques heures, on ne pourra plus nous secourir. La marche de la soif, une fois la toux commencée, est trop rapide. Et notre gorge...

Nous avons donc marché encore, et tout à coup j'ai entendu le chant du coq. Guillaumet [1] m'avait dit : « Vers la fin, j'entendais des coqs dans les Andes. J'entendais aussi des chemins de fer... »

Je me souviens de son récit à l'instant même où le coq chante et je me dis : « Ce sont mes yeux qui m'ont trompé d'abord. C'est sans doute l'effet de la soif. Mes oreilles ont mieux résisté... » Mais Prévot m'a saisi par le bras : « Vous avez entendu ? — Quoi ? — Le coq ! — Alors... Alors... — Alors, bien sûr, imbécile, c'est la vie... » J'ai eu une dernière hallucination : celle de trois chiens qui se poursuivaient. Prévot, qui regardait aussi, n'a rien vu. Mais nous sommes deux à tendre les bras vers ce Bédouin. Nous sommes deux à user vers lui tout le souffle de nos poitrines. Nous sommes deux à rire de bonheur !

Mais nos voix ne portent pas à trente mètres. Nos cordes vocales sont déjà sèches. Nous nous parlions tout bas l'un à l'autre, et nous ne l'avions même pas remarqué !

---

1. Pilote de l'Aéropostale. Tombé dans les Andes en juin 1930 il réussit à se sauver au prix d'une marche épuisante.

Mais ce Bédouin et son chameau, qui viennent de se démasquer de derrière le tertre, voilà que lentement lentement, ils s'éloignent. Peut-être cet homme est-il seul. Un démon cruel nous l'a montré et le retire. Et nous ne pourrions plus courir ! Un autre Arabe apparaît de profil sur la dune. Nous hurlons, mais tout bas. Alors, nous agitons les bras et nous avons l'impression de remplir le ciel de signaux immenses. Mais ce Bédouin regarde toujours vers la droite...

Et voici que, sans hâte, il a amorcé un quart de tour. A la seconde même où il se présentera de face, tout sera accompli. A la seconde même où il regardera vers nous, il aura déjà effacé en nous la soif, la mort et les mirages. Il a amorcé un quart de tour qui, déjà, change le monde. Par un mouvement de son seul buste, par la promenade de son seul regard, il crée la vie, et il me paraît semblable à un dieu...

C'est un miracle... Il marche vers nous sur le sable, comme un dieu sur la mer...

Saint-Exupéry, *Terre des hommes*, Gallimard, 1939.

ATTENTAT A LA BOMBE

De 1923 à 1927, André Malraux vécut en Indochine, puis en Chine, s'adonnant à l'archéologie, se passionnant pour les conflits idéologiques. Il lutte aux côtés de Chang Kaï-chek, puis fasciné par la personnalité de Chou En Laï, il prend parti pour les communistes contre le Kuo-Min-Tang. *La condition humaine*, prix Goncourt en 1933, s'inspire de ses expériences chinoises. Roman d'une révolution écrasée, cette œuvre mêle les scènes de violence aux méditations sur le destin de l'humanité.

Shanghaï, mars 1927. Trois partis politiques se disputent la ville : l'armée gouvernementale (nordistes) occupe la ville. Elle est menacée, à l'extérieur par les troupes de Chang Kaï-chek (chef des sudistes), maître du Kuo-Min-Tang, à l'intérieur par un comité révolutionnaire dominé par les communistes. Au début, révolutionnaires et Kuo-

Min-Tang s'unissent et triomphent. Mais Chang, vainqueur, ordonne aux communistes de poser les armes. Passant outre à la décision de l'Internationale qui se soumet, un groupe de combattants poursuit la lutte et décide de tuer Chang. Un jeune fanatique, Tchen, se charge de l'attentat.

(...) La trompe militaire de l'auto de Chang Kaï-chek commença à retentir sourdement au fond de la chaussée presque déserte. Tchen serra la bombe sous son bras avec reconnaissance. Les phares seuls sortaient de la brume. Presque aussitôt, précédée de la Foru de garde, la voiture entière en jaillit; une fois de plus il sembla à Tchen qu'elle avançait extraordinairement vite. Trois pousses[1] obstruèrent soudain la rue, et les deux autos ralentirent. Il essaya de retrouver le contrôle de sa respiration. Déjà l'embarras était dispersé. La Ford passa, l'auto arrivait : une grosse voiture américaine, flanquée de deux policiers accrochés à ses marchepieds ; elle donnait une telle impression de force que Tchen sentit que, s'il n'avançait pas, s'il attendait, il s'en écarterait malgré lui. Il prit sa bombe par l'anse comme une bouteille de lait. L'auto du général était à cinq mètres, énorme. Il courut vers elle avec une joie d'extatique, se jeta dessus, les yeux fermés.

Il revint à lui quelques secondes plus tard : il n'avait ni senti, ni entendu le craquement d'os qu'il attendait, il avait sombré dans un globe éblouissant. Plus de veste. De sa main droite il tenait un morceau de capot plein de boue ou de sang. A quelques mètres un amas de débris rouges, une surface de verre pilé où brillait un dernier reflet de lumière, des... déjà il ne distinguait plus rien : il prenait conscience de la douleur, qui fut en moins d'une seconde au-delà de la conscience. Il ne voyait plus clair. Il sentait pourtant que la place était encore déserte ; les policiers craignaient-ils une seconde bombe? Il souffrait de toute sa chair,

---

1. Pousse-pousse, en Extrême-Orient, voiture légère traînée par un coureur.

d'une souffrance pas même localisable : il n'était plus que souffrance. On s'approchait. Il se souvint qu'il devait prendre son revolver. Il tenta d'atteindre sa poche de pantalon. Plus de poche, plus de pantalon, plus de jambe : de la chair hachée. L'autre revolver, dans la poche de sa chemise. Le bouton avait sauté. Il saisit l'arme par le canon, la retourna sans savoir comment, tira d'instinct le cran d'arrêt avec son pouce. Il ouvrit enfin les yeux. Tout tournait d'une façon lente et invincible, selon un très grand cercle, et pourtant rien n'existait que la douleur. Un policier était tout près. Tchen voulut demander si Chang Kaï-chek était mort, mais il voulait cela dans un autre monde ; dans ce monde-ci, cette mort même lui était indifférente.

De toute sa force, le policier le retourna d'un coup de pied dans les côtes. Tchen hurla, tira en avant, au hasard, et la secousse rendit plus intense encore cette douleur qu'il croyait sans fond. Il allait s'évanouir ou mourir. Il fit le plus terrible effort de sa vie, parvint à introduire dans sa bouche le canon du revolver. Prévoyant la nouvelle secousse, plus douloureuse encore que la précédente, il ne bougeait plus. Un furieux coup de talon d'un autre policier crispa tous ses muscles : il tira sans s'en apercevoir.

André Malraux, *La condition humaine*, éd. Gallimard, 1964.

PERCÉE SUR L'ÈBRE

Un séminariste de dix-sept ans, Pierre Lirelou, s'est engagé dans les brigades internationales, pour l'amour d'une gitane. La guerre civile fait rage en Espagne. Les républicains aux abois tentent une manœuvre désespérée : ils franchissent l'Èbre et s'efforcent d'enrayer l'offensive franquiste sur Barcelone. Lirelou, tel Fabrice à Waterloo, est mêlé à un drame sanglant, absurde, auquel il ne comprend rien.

Les barques s'étaient vidées de leur chargement d'hommes et repartaient avec les blessés. Ulrich [1] envoya Pierre chercher les officiers, mais le jeune homme ne put en trouver un seul. Sans qu'aucun ordre fût transmis, la masse compacte des hommes se distendit, s'aligna en longues files de tirailleurs et se mit à avancer. Pierre ne put retrouver Ulrich et suivit l'une des files. Il se couchait, se relevait, bondissait en avant pour s'aplatir, copiant le soldat qui était à ses côtés. Mais lorsque celui-ci ne se releva plus, il fut embarrassé. Il avait le sentiment que la guerre était un jeu absurde et enfantin où, comme aux barres, il fallait faire toutes sortes de gestes inutiles, parce que c'était la règle. On l'appela : — Toi, viens par ici... Prêt à obéir à tout le monde, il rampa quelques mètres dans la direction d'où venait l'appel et trouva un gros type à côté d'une mitrailleuse en batterie derrière une butte de terre. — Tu vas m'aider. — Je ne sais pas... — Dans les boîtes de fer, il y a des bandes, tu les engages comme ça. Quand l'une est finie, tu en passes une autre. Grouille, on va avoir besoin de nous ! — Mais je suis l'agent de liaison du commandant ! — Il n'y a plus de commandant, il n'y a plus personne, seulement « les Mohameds » qui attaquent [2].

En face, dans la lumière irréelle du clair de lune, de minces silhouettes jouaient au même jeu que les volontaires des brigades tout à l'heure. Ils se levaient, avançaient, se recouchaient. Le gros se mit à tirer posément, lâchant des rafales de cinq, six coups, repointant et recommençant. De courtes flammes rouges sortaient du canon, et la mitrailleuse faisait un bruit effroyable qui déchiquetait l'air. Pierre sortait les bandes et les engageait. C'était simple comme tout. Les silhouettes se rapprochaient, moins nombreuses que tout à l'heure. Le gros poussa un juron : — Cette saloperie s'est enrayée ! Ces trucs russes ne valent pas les Hotchkiss. T'as des grenades ? —

---

1. Le commandant en second du bataillon.
2. Les Marocains, enrôlés dans les armées franquistes.

Trois. — Passe-m'en deux, gardes-en une.. Tu la jetteras en même temps que moi. »

Se glissant sur le côté, Pierre sortit son parabellum et le posa à portée de sa main. En quelques secondes, la guerre avait cessé d'être un jeu, et le pistolet un jouet.

Trois formes noires apparurent, comme si elles sortaient de terre. Le gros se dressa à demi pour jeter sa grenade. Pierre fit comme lui. Il eut l'impression que les grenades explosaient tout à côté et sentit sur sa peau un souffle brûlant. Sa main s'était refermée sur le revolver. Immense, un Maure, tenant son fusil par le canon et le faisant tourner se jeta sur lui. Il tira la moitié de son chargeur, visant au ventre. — Tu tires toujours au ventre, lui avait dit Ulrich. La silhouette s'écroula sur Pierre et il se crut mort, fermant les yeux et ne bougeant plus. Quelques secondes plus tard, il les ouvrit ; à deux mètres, un autre Maure plongeait et replongeait sa baïonnette dans le corps du gros, comme un paysan retournant la terre avec une bêche. Allongé, son revolver à bout de bras, presque appuyé dans le dos du Maure, il tira le reste du chargeur. Cassé en deux, le « Mohamed » s'écroula.

S'étant dégagé du cadavre, Pierre se redressa sur les coudes. Il n'y avait plus rien autour de lui, que les trois corps et la mitrailleuse enrayée. Il ne savait que faire, et la peur, qui l'avait complètement abandonné, revenait ; cette fois, elle prenait une forme nouvelle. Elle envahissait tout son corps en frôlements légers, et quand il s'abandonna, il se sentit soulagé, mais sans aucun ressort.

Jean Lartéguy, *Les mercenaires*, Presses de la Cité, 1960.

Les impressions d'un conscrit qui fait l'épreuve du feu. Simple exécutant, Lirelou n'enregistre que des impressions partielles, dont le défilé lui semble incohérent, « un jeu

(à suivre)

(suite)

absurde et enfantin » : la progression en tirailleurs, l'épisode de la mitrailleuse, le combat corps à corps, l'état d'âme du héros. Héros solitaire, car le théâtre des opérations semble se vider de ses acteurs, progressivement. La participation à la bataille se réduit à l'aventure d'un adolescent ahuri. Remarquer : l'allure directe du récit ; ni pittoresque, ni fioritures. L'écriture a une sorte de dureté, en harmonie avec le caractère implacable de la lutte.

La naïveté du non-initié qui ignore le cérémonial. Il subit l'événement, réduit au rôle de marionnette; façon de faire éclater l'absurdité de la guerre.

Aucune émotion, aucun appel à la sensibilité du lecteur. Au contraire, une pointe d'ironie : le narrateur se moque de lui-même. Aventurier de profession, il admet le péril, la souffrance, la mort avec une résignation fataliste.

L'AVENTURE SPORTIVE

Il existe des sports dangereux qui constituent d'exaltantes aventures, ceux, en particulier qui utilisent de rapides et fragiles machines, ou, telle la plongée sous-marine, semblent défier les éléments. La course automobile est l'un des plus populaires.

Voici, romancé, *le départ du Grand Prix de Monte-Carlo.*

Le public s'était levé. Les vingt-deux voitures ne formaient qu'une masse semblable à un grand bouclier d'acier. Une masse qui, dans trois secondes, allait s'étirer, se rompre, le plus rapidement possible. Chacun des pilotes chercherait à ne pas se laisser enfermer. Le moindre accroc, la moindre faute de l'un d'eux signifierait la pulvérisation des rangs suivants. Il fallait que chacun d'eux passât dans la lancée de l'autre. Et il fallait, en même temps, que chacun essayât de prendre par surprise la voiture précédente. A la même seconde, les vingt-deux pilotes virent le directeur de la course saisir le drapeau qu'on lui tendait par derrière, l'élever au-dessus de son épaule...

Avant que le drapeau se fût complètement abaissé,
toutes les voitures s'étiraient, freinant encore une
seconde. Puis, tous ensemble ils décollèrent arrachant,
d'un seul effort, leur poids. Ils étaient libres, déchaînés,
ils glissaient, montant leur vitesse.

Pierre Fisson, *Les Princes du tumulte*,
Julliard, 1950.

ESCALADE

Les exploits des vainqueurs de l'Éverest ou de l'Annapurna ont une dimension épique. Mais l'ascension, même
vers des cimes plus modestes, exige, outre des qualités
physiques et un entraînement régulier, des vertus morales
exemplaires. Frison-Roche célèbre l'épopée ignorée
des guides de Chamonix. Un groupe d'alpinistes tentent
la difficile escalade de la petite Aiguillette, dans le massif
du Mont-Blanc.

La petite Aiguillette... Un chicot d'érosion accolé
contre les flancs de la grande. Un simple roc : quinze
mètres d'un côté, soixante mètres sur son plus haut
versant. De la brèche qui sépare les deux Aiguillettes,
il n'y a guère qu'une quinzaine de mètres d'escalade,
mais si escarpés, si exposés, que peu de guides osent
s'y lancer en premier. (...) Georges s'est dressé contre
la dalle comme un lutteur qui examine son adversaire ; il passe l'extrémité de sa corde d'attache à
Fernand qui l'assurera du mieux qu'il pourra, sans
grande efficacité d'ailleurs. Avant de se lancer dans
le passage, il tape contre le roc ses bottes ridicules,
toutes rondes comme un large sabot et qui lui font
des pieds d'éléphant ; au couteau, il dégage la terre
et l'herbe qui adhèrent entre les clous, aspire un
grand coup d'air et part. Les autres le suivent du
regard avec beaucoup d'inquiétude, mais ils reprennent
confiance en voyant comme il s'élève en grand seigneur du rocher. (...) Fernand s'épaulant contre la
montagne, surveille la corde qui a cessé tout à coup

Une épopée du XXᵉ siècle.

de filer entre ses doigts. Que se passe-t-il? Il ne peut rien voir d'où il est, mais Aline, qui a pris un péu de recul et surveille la progression du leader, avertit tout à coup ses compagnons : « Pierre , Pierre , crie-t-elle, il est en difficulté ; son pied ne tient pas, le soulier dérape comme s'il ne pouvait réussir à crocher une prise ». Un souffle rauque, haletant, parvient jusqu'aux autres et souligne un effort désespéré qu'ils ne peuvent que deviner. Ils observent anxieusement cette main qui s'accroche et qui est prise tout à coup d'un tremblement spasmodique. « Nom de bleu », fait Pierre, et avant qu'on ait pu prévenir son geste, il s'élance sur la plaque, sans corde, sans être assuré. Aline retient au fond de sa gorge serrée le cri d'angoisse qui allait s'en échapper. Fernand, conscient de son impuissance, transpire à grosses gouttes, et s'arc-boute sur la corde. Les autres, muets de surprise, attendent le drame inévitable.

En quelques bonds précis, Pierre s'est élevé jusqu'au surplomb. Il attrape la corde d'attache de Georges, et la noue au piton, puis il se lance dans la traversée, et le voilà qui appuie de toutes ses forces sur la main de Georges pour l'empêcher de lâcher. « Tiens bon ! Georges, je suis là, vas-y , tu es assuré ! » Il sent cette grosse main rugueuse toute crispée dans ses doigts et l'accompagne, tandis qu'elle disparaît. On entend comme un grand soupir et bientôt, une voix, entrecoupée par l'émotion, crie : « Passé ! Ouf !... Bon sang, reprend Georges, je ne pouvais pas faire tenir mes clous sur la petite prise, tu sais, de l'autre côté de l'arête. J'étais écartelé contre la paroi et je me fatiguais ; si tu n'étais pas venu, j'aurais lâché... — Monte vite ! dit Pierre fébrilement, monte vite , je ne suis pas attaché ». Et Georges pense subitement que son camarade est en plein mauvais pas, sans être attaché, et que le vertige pourrait bien le reprendre ; il escalade fiévreusement les derniers mètres, et, sans prendre de repos, lance sa corde à Pierre. « Attrape ! » L'autre saisit avec soulagement le filin, s'attache et continue l'escalade. (...) Oh ! miracle... les mélèzes ne tournent plus, le carrousel s'est arrêté, le paysage est immobile, et l'Aiguillette qu'il étreint à plein corps est solidement assise et n'oscille plus de droite à gauche, lentement, sans arrêt, comme ce matin.

Frison-Roche, *Premier de cordée*, Arthaud, 1960.

● L'aventure du poète

L'AVENTURE SURRÉALISTE

Les poètes surréalistes furent, à leur manière, des aventuriers. Pratiquant l'hypnose, cultivant le rêve, l'hallucination, ils s'arrachèrent à la vie logique pour explorer un monde nouveau, étudié par Freud, le monde de l'inconscient, du demi-sommeil, du merveilleux, de la folie. Leurs expériences aboutissaient à d'étranges et merveilleuses découvertes, autant d'aventures ensorcelantes.

D'abord chacun de nous se croyait l'objet d'un trouble particulier, luttait contre ce trouble. Bientôt sa nature se révéla. Tout se passait comme si l'esprit, parvenu à cette charnière de l'inconscient, avait perdu le pouvoir de reconnaître où il versait. En lui subsistaient des images qui prenaient corps, elles devenaient matière de réalité. Elles s'exprimaient suivant ce rapport, dans une force sensible. Elles revêtaient ainsi les caractères d'hallucinations visuelles, auditives, tactiles. Nous éprouvions toute la force des images. Nous avions perdu le pouvoir de les manier. Nous étions devenus leur domaine, leur monture. Dans un lit, au moment de dormir, dans la rue les yeux grands ouverts, avec tout l'appareil de la terreur, nous donnions la main aux fantômes...

Cette matière mentale, nous l'éprouvions par son pouvoir concret, par son pouvoir de concrétion. Nous la voyions passer d'un état dans un autre, et c'est par ces transmutations qui nous en décelaient l'existence que nous étions également renseignés sur sa nature. Nous voyions par exemple une image écrite qui se présentait premièrement avec le caractère du fortuit, de l'arbitraire, atteindre nos sens, se dépouiller de l'aspect verbal pour revêtir ces réalités phénoménales que nous avions toujours crues impossibles à provoquer, fixes, hors de notre fantaisie.

> Aragon, Une vague de rêves, *Commerce* automne 1924,

L'AVENTURE DE LA DROGUE

Le poète Henri Michaux, né en 1899, est un explorateur de la pensée. Il multiplie les expériences pour connaître le fonctionnement de son esprit, les possibilités de son être, les limites de son imagination. « J'écris pour me parcourir. Peindre, composer, écrire : me parcourir. Là est l'aventure de la vie[1]. » Il n'hésite pas à étudier sur lui l'effet de la mescaline.

Ce jour-là fut celui de la grande ouverture. Oubliant les images de pacotille qui du reste disparurent, cessant de lutter, je me laissai traverser par le fluide qui, pénétrant par le sillon, paraissait venir du bout du monde. Moi-même j'étais torrent, j'étais noyé, j'étais navigation. Ma salle de la constitution, ma salle des ambassadeurs, ma salle des cadeaux et des échanges où je fais entrer l'étranger pour un premier examen, j'avais perdu toutes mes salles avec mes serviteurs[2]. J'étais seul, tumultueusement secoué comme un fil crasseux dans une lessive énergique. Je brillais, je me brisais, je criais jusqu'au bout du monde. Je frissonnais. Mon frissonnement était un

---

1. *Passages*, p. 150.
2. Métaphores pour désigner sa personnalité. L'homme centre du monde est un roi qui prend ses décisions, entretient des rapports avec le monde extérieur, utilise ses facultés.

aboiement. J'avançais, je dévalais, je plongeais dans la transparence, je vivais cristallinement.

Parfois un escalier de verre, un escalier en échelle de Jacob, un escalier de plus de marches que je n'en pourrais gravir en trois vies entières, un escalier aux dix millions de degrés, un escalier sans paliers, un escalier jusqu'au ciel, l'entreprise la plus formidable, la plus insensée depuis la tour de Babel, montait dans l'absolu. Tout à coup je ne le voyais plus. L'escalier qui allait jusqu'au ciel avait disparu comme bulles de champagne, et je continuais ma navigation précipitée, luttant pour ne pas rouler, luttant contre des succions et des tiraillements, contre des infiniment petits qui tressautaient, contre des toiles tendues et des pattes arquées.

Par moments, des milliers de petites tiges ambulacraires[1] d'une astérie[2] gigantesque se fixaient sur moi si intimement que je ne pouvais savoir si c'était elle qui devenait moi, ou moi qui étais devenu elle. Je me serrais, je me rendais étanche et contracté, mais tout ce qui se contracte ici promptement doit se relâcher, l'ennemi même se dissout, comme sel dans l'eau, et de nouveau, j'étais navigation.

Henri Michaux, Misérable miracle, Éd. du Rocher, Monaco, 1956.

Sous l'effet de la drogue, le poète, être fermé sur lui-même, a l'illusion de s'ouvrir à l'infini.

— D'abord, désintégration de sa personnalité qui se transforme en torrent; mais l'homme est à la fois mouvement, objet qui subit, intelligence qui dirige. Secoué par une tornade qui le nettoie de son individualité, en le disloquant. Des sensations disparates se mêlent : le patient devient lumière, transparence, douleur, cris dont la portée est infinie.

(à suivre)

---

1. Qui permettent de se déplacer.
2. Étoile de mer.

(suite)

— Parfois le mouvement est ascensionnel, par un escalier de cristal, dans un monde de lumière. Plus d'ombre autour de lui, en lui. Puis, reprise de la navigation sur des rapides et lutte contre des araignées surnaturelles qui contrarient l'élan.

— Un arrêt involontaire. Capturé par une étoile de mer avec laquelle il se confond. De nouveau, la course irrésistible.

A la mescaline, Michaux demande non une évasion dans la folie, un bonheur artificiel, mais une approche de la sagesse. « Les drogues nous ennuient avec leur paradis; qu'elles nous donnent plutôt un peu de savoir. »

UNE ROBINSONNADE IRONIQUE

« Une île mystérieuse où les choses ne se passent pas comme ailleurs paraît le lieu naturel du roman d'aventures.» Thibaudet.

Dans *Suzanne et le Pacifique*, Giraudoux, grand lecteur d'Homère, imagine qu'une jeune Française est jetée par un naufrage dans une île déserte. L'héroïne a la grâce de Nausicaa et, tel Ulysse, elle entre en sympathie avec les dieux.

Souvent le soir, quand toutes les forces déchaînées du vent, de la mer, de l'archipel m'assaillaient ; quand je les écoutais mendier, désorientée malgré tout comme une mère qui n'a pas donné de nom à ses nombreux enfants ; quand, petites et éternelles, elles me découvraient sous mes plumes ou mes feuillages et tiraient sur moi comme sur l'anneau de la trappe qui leur ouvrirait tout ; quand je me redressais au milieu de leur jubilation ; quand elles m'éventaient, me flattaient dans tous les recoins de mon âme, touchaient de vraies mains mon corps, caressant ma peau par sa doublure, mes yeux par leur envers, voyant dans cette fille de France leur unique chance d'arriver jamais à la divinité ; et quand les parfums s'en mêlaient ; et quand l'odeur des glycines devenait si forte que je fronçais les sourcils comme en Europe quand le gaz est ouvert ;... quand je chassais le vent de la main comme chez nous un insecte, la mer du pied comme chez nous un chien, mer imbécile qui s'offrait toute en ce moment même pour échanger son terrible nom plébéien contre un petit mot caressant; quand je leur disais : « Tu ne me feras pas dire que tu es Éole, que tu es Orphée, tu n'es que le vent, tu n'es que le catleya, tu n'es que la mer » ; et que le soleil et la lune au-dessus de ces vanités, leur nom de Phébus et de Phébé collés sur eux comme un nom sur une gare, m'approuvaient ; alors, parfois, faut-il le dire? un regret me prenait de n'être point aussi avide qu'eux, une envie de sacrifier un peu de ces trésors en moi à mon éternité.

> Giraudoux, *Suzanne et le Pacifique*,
> Grasset, 1949.

Une parodie poétique de sujets traditionnels : la vie de Robinson dans une île déserte, mythes de l'Eden, de l'innocence primitive, thèmes romantiques de l'évasion et de la solitude. Ce qui est spécifiquement giralducien : croyance qu'il existe des migrations entre le monde divin et le monde humain (idée chère à l'auteur, développée dans *Les aventures de Jérôme Bardini*). Seule dans son paradis symbolique, l'héroïne cède à la pression des « mille petites présences qui l'environnent » et subit la tentation de devenir dieu. Ce dialogue muet qui oppose la jeune fille à l'univers a la grâce désinvolte d'un marivaudage.

L'AVENTURE DÉMYSTIFIÉE

« (...) Partir, il faut partir. Il faut quitter vite, disparaître vers les régions de l'anonyme, vers le possible. Partir... Mais pour où? Quel pays m'attend? Quelle nouvelle vie, plus vaste, plus libre que l'ancienne pourrait être la mienne? Comment ne pas traîner avec soi les guenilles familières, comment secouer les jougs, les coutumes, les terribles habitudes qui ont creusé leurs sillons? Je ne sais pas si cela est possible, oui, s'il est possible vraiment d'oublier, mais j'ai en moi comme cette porte ouverte au bout du très long corridor. Je crois que je peux changer à chaque instant, mais n'est-ce pas une illusion? Peut-on renier ce que l'on a fait, autrement que par le silence? Il y a tellement, si l'on y pense, tellement de crochets et de fils qui retiennent un homme. Tant de relations, de nœuds, tant de rails partout... Tant d'inconfort devenu confortable, et l'appel ne passe pas. Longuement, sûrement, l'horizon se bouche, les clôtures se dressent. Tous mensonges, tous hideusement faux, les murs que sont les objets, les sentiments, les sensations familières, nécessaires comme des drogues. Est-ce cela, un homme? Est-ce cette somme de liens et d'habitudes? Est-ce cet exilé du voyage? Si c'est vrai, c'est qu'il ne peut pas quitter. Ici ou ailleurs, il cherchera les entraves, il s'enfoncera dans la terre pour ne pas être seul, pour ne pas être son maître. Aventuriers, explorateurs, qui ne sont peut-être que des faibles, partout avides de prisons. Mais les aventuriers de l'esprit? Encore plus faibles, encore plus esclaves. Ils croient avoir touché d'autres mondes, ils croient avoir réinventé l'amour et la joie, alors que chaque seconde de la vie réelle les happe, les accroche, les plaque au sol. Que faire? Que répondre à l'appel de l'inconnu nostalgique? On ne peut pas toujours aimer sa prison. On ne peut pas non plus se battre. Alors, et c'est ainsi que l'homme accède au tragique, c'est ainsi qu'il naît au monde des adultes, alors commence la bataille du vaincu. »

J.M.G. Le Clézio, *L'extase matérielle*, N.R.F., Idées, 1971.

● CONCLUSION

Aujourd'hui comme autrefois, tout être porte en lui le démon de l'aventure. Or, bien peu sont en état de la vivre; l'immense majorité se contente de la rêver. Manque d'audace? D'occasion? Timidité? Lâcheté? Esprit casanier? Certes. Mais pourquoi affronter corporellement les risques? Il y a les livres, les revues, les spectacles qui, sollicitant l'imagination, donnent presque chaque jour, le sentiment exaltant d'une insécurité permanente. Romans policiers, romans d'espionnage, feuilletons télévisés, westerns, films d'action... L'enfant au retour de l'école, l'ouvrier sortant de l'usine, le commerçant après la fermeture de sa boutique, la vendeuse libérée de son magasin, l'intellectuel même, son travail fini, sacrifient, sans le savoir, à l'instinct primitif de l'aventure. Indirectement, en restant assis, par l'intermédiaire d'un cinéma de quartier ou des boulevards, du livre de poche, de l'O.R.T.F. Selon leur âge, ils sont shérifs ou hors-la-loi, Maigret, James Bond, San Antonio — pour quelques francs lourds, deux heures d'affilée. Les Montagnes Rocheuses et leurs Peaux-Rouges, les agents secrets et leur vie double, les gangsters, les trafiquants, ceux qui les traquent... quelle compensation à la monotonie de l'existence ! Les barons du XIIe siècle ne procédaient pas autrement. Ils n'étaient pas toujours à la guerre, à la croisade. La plupart du temps, ils restaient inactifs, dans leur donjon, réduits aux dangers limités des chasses et des tournois... Un trouvère survenait-il, déclamant quelque geste ? Pendant la durée de la récitation au son du rebec, le seigneur pourfendait les Sarrasins, se rebellait contre Charles le Grand, gagnait des cités, des batailles.

Aujourd'hui cette évasion dans l'aventure rêvée — précédemment réservée aux bambins et aux poètes — est un besoin d'autant plus vif que notre époque, plus que jamais, semble impropre à l'aventure. Pour deux raisons :

1. *Notre terre est de mieux en mieux connue.* Plus de zone mystérieuse, l'Amazonie exceptée, que l'on puisse explorer en risquant sa vie, où l'on puisse vivre librement, sans se soucier des lois et des usages. Les Américains ont installé un aéroport au pôle; on cultive la canne à sucre dans les îles que hantaient les flibustiers; les atolls du Pacifique sont le théâtre d'expériences nucléaires. La vie policée, réglée par la police, s'est insinuée partout. Plus d'endroits non civilisés où l'on serait naufragé, contrebandier, chercheur d'or et de bagarres. Qu'est devenu le domaine privilégié de l'aventure ? Chaque weekend, à l'usage des touristes, les Indiens du Colorado organisent des spectacles folkloriques avec plumes, peintures de guerre, danse du scalp.

2. *La vie quotidienne est strictement réglementée,* frustrée de pittoresque, de diversité, de fantaisie. En Alaska comme en Patagonie, l'individu, dès sa naissance, est recensé, fiché, voué à tenir un rôle social. S'il ne veut pas encourir les foudres du pouvoir, il doit se faire « une situation », mot suintant la stabilité, le conformisme, l'immobilité garante de l'immobilisme. Personne n'a plus les coudées franches. Peu de gens informent leur vie selon leur désir. Le technocrate, le technicien, agents de l'efficacité, manieurs de statistiques, préparent pour chacun l'alvéole où il passera son existence. On « oriente » l'enfant, irresponsable, non consulté : tu seras avocat, métallurgiste, peintre en bâtiment, pharmacien, professeur... La civilisation dite moderne est l'ennemie de l'aventure. Elle prétend organiser un monde, aussi minutieusement et implacablement agencé qu'une mécanique de précision. Que deviennent alors l'esprit d'indépendance, la fantaisie, le rêve, ferments de l'esprit d'aventure ? « Métro, boulot, dodo », lit-on sur les murs.

Or chaque être, si primaire soit-il, se lasse d'une sécurité qui l'abrutit. Aspirer à l'incertain qui romprait la monotonie des jours est une nécessité vitale. Comme l'aventure est impossible à l'ère de l'atome et des forces de l'ordre, on la vit par la pensée. Les jeunes et les moins jeunes, s'ils sont particulièrement impulsifs, se défoulent, en chahutant leur maître, en braillant des slogans, en manifestant, quelquefois en dépavant les rues... Piètre aventurier que nous offrent les temps modernes, aventurier refoulé, un peu caricatural. Il lui est difficile de servir de modèle littéraire. Aussi le livre d'aventures, aujourd'hui (à l'exception des romans d'espionnage) ne parle guère de l'actualité.

Sauf exception. Car il existe encore des aventuriers authentiques, les derniers à courir, comme dans les temps anciens, l'aventure de violence et de sang. Les uns défendent une cause, maquisards du Viet Minh et d'ailleurs, fedayin du Jourdain ; d'autres sont des mercenaires qui louent leurs services aux minorités africaines en révolte. Ces irréguliers, ces nostalgiques des époques de licence, mal famés, condamnés par les pouvoirs officiels, pourraient inspirer un romancier, un poète : ils offrent toutes les garanties exigées par les ouvrages consacrés à l'aventure.

Survivances anachroniques. Aujourd'hui, l'aventurier — les gangsters et les trafiquants de drogue exceptés — a pratiquement disparu de la vie réelle. L'irrégulier à l'esprit mercantile, besogneux, souvent couard, a perdu son panache. Est-ce la raison pour laquelle le thème de l'aventure est en déclin ? Sans doute. Il ne plonge plus ses racines dans la vie réelle; il n'est plus fécondé par elle. Il devient un simple produit que l'on consomme, distribué par le livre, le journal ou le film, comme du chewing-gum ou une cigarette. Passe-temps, machinalement recherché qui ne concerne plus les profondeurs de notre être.

Aussi, l'œuvre qui l'exprime n'est plus guère qu'une théorie[1] d'images, frénétiquement animées, une sorte de jeu où des marionnettes à forme et à visage humains s'affrontent, se tuent, s'adorent. Un héros justicier, Hubert de la Bath, James Bond, San Antonio occupe toute la scène, accapare toute l'attention. Il est à lui seul le sujet et la fin du roman, du film. Cette présence envahissante d'un personnage unique est signe de pauvreté. L'ouvrage est conçu pour préparer sa victoire : quel enrichissement peut-il donc nous apporter ?

---

1. Étymologiquement : cortège.

Par ailleurs, le thème de l'aventure est victime de son succès même. Depuis que les circuits de distribution ont atteint les couches populaires, il est devenu une affaire que l'on exploite. Des auteurs, des collections se spécialisent dans sa création, dans sa diffusion, ne tenant plus compte que du goût manifesté par le consommateur. C'est là une cause irréversible de déclin. « La nécessaire adaptation du livre aux besoins du lecteur est obtenue par le procédé mécanique de la standardisation. Un certain type d'œuvre ayant un succès assuré auprès du public, on reproduit inlassablement le prototype en variant simplement l'affabulation... Dans ce mécanisme impitoyable, le mouvement naturel est celui de la dégradation. »

Que pourrait-on ajouter à cette analyse de Robert Escarpit [1]? Que la science, aujourd'hui, vient au secours de l'aventure? Dans les faits : l'aventure moderne, dira-t-on, est d'ordre spirituel, elle est vécue par des savants qui sont autant des rêveurs que des penseurs. La machine à calculer a remplacé le colt; mais l'attitude de l'aventurier reste la même. S'il ne risque plus sa vie, il sort des sentiers battus, il pénètre dans un monde nouveau, inconnu, effrayant. Il veut déceler le secret de la vie, explorer l'espace sidéral, l'atome. L'infiniment grand et l'infiniment petit, voilà les domaines réservés à l'aventure contemporaine.

Voire. A la différence de l'aventurier classique, le savant n'est pas un isolé, un hors-la-loi. Il bénéficie du concours d'une équipe, du soutien de ses compatriotes. Et aussi du service impersonnel de machines, à l'action infaillible, qui enlève à l'aventure scientifique, dans une certaine mesure, sa pureté, sa beauté.

Il est vrai que l'aventure de laboratoire est parfois prolongée par l'aventure à risques : pour s'instruire ou vérifier des hypothèses, des appareils, des hommes descendent dans les abîmes marins, essaient d'atteindre des vitesses refusées à l'être humain, débarquent sur la lune. Demain, ils s'aventureront jusqu'à Mars, jusqu'à Vénus. Entre l'astronaute dans son scaphandre et le pirate au sabre d'abordage, aucune commune mesure en apparence. Pourtant l'intention qui conditionne leurs actes est identique : le désir de vivre autrement que les autres, dangereusement.

C'est une erreur. Le risque de l'aventurier scientifique est

---

1. *Sociologie de la littérature*, Que sais-je? p. 88-89.

minime : la science, l'électronique le protègent : tous les périls sont prévus et, par avance, déjoués. De la terre, on suit son odyssée, on le surveille, on le guide. Il n'y a pas de point de non-retour. Fait plus grave : il n'est pas libre — c'est la négation de l'esprit d'aventure. Aucune initiative ne lui est laissée. Il accomplit sur ordre des gestes qu'il a longuement répétés, au cours de son entraînement. Le symbole de cette servitude, ce sont les courroies qui l'amarrent à sa cabine. Pour qu'il redevienne un aventurier à part entière, il faut qu'un incident dérange l'ordonnance de l'exploit. Alors, il est contraint d'improviser, il retrouve son initiative. Armstrong, foulant le premier la lune, n'est pas un aventurier. Lovel, Haise, Swigert, perdus dans l'espace à bord d'une fusée désemparée, ont vécu une aventure.

Pourtant, ces aventures, fruits du progrès, inspirent une littérature spécialisée : les ouvrages de science-fiction, héritage de Cyrano, de Verne, de Wells. Insatisfait des résultats acquis, l'homme se plaît à anticiper les découvertes à venir. Il rêve de se libérer de la nature en déchiffrant ses mystères et en l'asservissant. Des romanciers imaginent des récits, montrant les périls qu'enfantent ces tentations. Mais, ils ne narrent pas des aventures : l'affabulation prétend reposer non sur un caprice humain, mais sur des calculs. Les péripéties sont provoquées par des erreurs de méthode ou par des phénomènes scientifiques, sans faire intervenir les passions, les intérêts. Il s'agit d'un divertissement de l'esprit, amusant, mais trop abstrait pour empoigner le lecteur. Une équation bien vérifiée n'a pas l'impact d'une bagarre. Aussi, résignons-nous à voir proliférer et péricliter l'œuvre d'aventure véritable, celle qui sacrifie à la fantaisie et à la violence, sans espérer un impossible renouvellement. Seul le cinéma, aux ressources illimitées, peut revitaliser une inspiration impérissable, puisqu'elle émane des profondeurs de notre être, puisqu'elle donne une incessante réalité aux plus fous de nos rêves.

L'aventure individuelle est morte. Mais l'humanité n'est-elle pas en train de vivre une aventure collective, prodigieuse, inouïe? En adoptant une forme de civilisation technocratique, vouée à la recherche atomique, elle a fait un choix périlleux : le point de non-retour — signe de l'aventure — est désormais dépassé. S'achemine-t-on vers une société harmonieuse où l'homme, libéré de la maladie et du travail, jouirait intelligemment de ses loisirs ? Ou, au contraire, verra-t-on l'univers ravagé par la bombe à hydrogène, l'espèce humaine réduite à quelques survivants, revenus à l'âge de pierre, errants parmi les vestiges de la civilisation ? S'engager dans cette voie royale, c'est se risquer sur le chemin d'une aventure tellement colossale qu'elle échappe à notre intellect. En tout cas, il n'existe encore aucune expression littéraire à sa mesure. Seuls des philosophes, des historiens, des sociologues nous entretiennent de ses audaces. Un poète, un romancier se révéleront-ils, au souffle assez puissant pour célébrer pareille aventure de dimension cosmique ?

L'aventure, compensation à la monotonie de l'existence
(Il était une fois dans l'Ouest).

Cl. C.I.C.

● ANNEXES

● Thèmes de réflexion

1. L'aventure, l'occasionnel et la durée : étudier les différences entre l'aventure, l'incident, le fait de guerre, l'exploit.

2. L'aventure, le péril, la quête du bonheur.

3. Aventure individuelle et aventure collective. (Ex : la Grande Armée pendant la retraite de Russie, la Révolution russe de 1917, la révolte du ghetto de Varsovie contre les Allemands.)

4. Le thème de l'aventure, le thème de l'amour et le sentiment exotique.

5. Le thème de l'aventure et le thème du voyage.

6. Aventure et évasion (dans la réalité, dans le rêve.)

7. L'aventure héroïque dans l'épopée, le drame historique, le roman breton, le roman courtois, le roman de cape et d'épée.

8. L'aventure parodique ou burlesque; sa puissance comique.

9. L'aventure subie, du soldat, du vagabond, du naufragé, du prisonnier.

10. L'aventure sociale : Rastignac, Julien Sorel, Citizen Kane.

11. L'aventure et l'esprit d'anarchie : le pirate, le nihiliste, le contestataire, le révolté, l'asocial.

12. Le thème de l'aventure et les sciences humaines.

13. L'aventure et la peinture des milieux, du « milieu ».

14. L'aventure et la politique : le roman d'espionnage.

15. L'aventure et le maintien de l'ordre : le roman policier.

16. Le personnage du détective, de l'agent secret, du superman.

17. Du bandit au grand cœur au gentleman cambrioleur.

18. L'aventure et le public contemporain.

19. L'aventure et la science-fiction.

20. L'aventurier de l'avenir.

● Quelques lectures

Albert CHASSANG : *Histoire du roman et de ses rapports avec l'histoire dans l'Antiquité grecque et latine*, Paris, Didier, 1862.
Ouvrage déjà ancien, mais abondamment documenté. Un chapitre (3e partie VII) spécialement consacré aux romans d'amour et d'aventures. D'intéressants aperçus sur la filiation entre les mythes, les poèmes cycliques, le roman, la narration fabuleuse, la géographie et le thème de l'aventure.

Gilbert CHINARD : *L'Amérique et le rêve exotique dans la littérature française au XVIIe et au XVIIIe siècle*, Paris, Hachette 1913.
Cet ouvrage complète : *L'exotisme américain dans la littérature française au XVIe siècle*, du même auteur.
Ouvrage très documenté, fournissant de précieux renseignements sur le monde coloré des pionniers, des marins, des aventuriers, des missionnaires qui, par leurs récits et leurs rapports, ont créé le genre exotique et le poncif du bon sauvage.

Edgar MORIN : *L'esprit du temps*, Paris, Grasset, 1962.
La deuxième partie (« Cours nouveau ») renferme de pertinentes réflexions sur les goûts et les aspirations modernes. Le chapitre XI (« Le revolver ») donne une explication sociologique et psychanalytique de l'envoûtement exercé par l'aventure présentée par les romans ou les films sur la masse de nos contemporains.

Jean-Louis RIEUPEYROUT : *Le western ou le cinéma américain par excellence*, éd. du Cerf, Paris, 1953, avec une préface d'André Bazin.
Une définition du western — des indications sur la marche vers l'Ouest, le monde réel du western, ses chants, sa littérature —, une histoire du western de sa naissance (1903) à 1951.

Philippe SELLIER : *Le mythe du héros*, Paris, Bordas, 1970.
Une excellente étude sur la geste du héros, le mythe héroïque, la rêverie héroïque contemporaine, introduisant un choix judicieux de textes dont plusieurs sont commentés.

Roger STÉPHANE : *Portrait de l'aventurier*, Sagittaire, 1950, rééd. Grasset, préface de Sartre, 1965.
Établit une pertinente distinction entre l'aventurier et le militant.

Jean-Jacques TOURTEAU : *Le roman policier de 1900 à 1970*, Paris, Mame, 1971.
Thèse de doctorat soutenue en Sorbonne, œuvre d'un économiste et d'un juriste. Distingue trois périodes : de 1900 à 1920, l'âge d'or du genre, — de 1921 à 1939 : le détective succède au gentleman cambrioleur dans la faveur du public, — 1940-1970 : recherche de l'horreur et de l'érotisme.

WESTERN (le) : Plon, 10/18, 1968.
Un ouvrage collectif réalisé par la rédaction de la revue Artsept et présenté comme un guide : étude des sources du genre, des mythes, des auteurs, des acteurs. Il se termine par un index des westerns tournés depuis 1946 et par une bibliographie.

Sur des points particuliers :

Joseph BÉDIER : *Les légendes épiques*, 4 vol. Paris, 1921.

Madeleine-L. CAZAMIAN : *Le roman et les idées en Angleterre de 1880 à 1914*, Paris, Belles Lettres, 1955 (T. III : la doctrine d'action et l'aventure.)

Georges DUHAMEL : *Scènes de la vie future*, Paris, Mercure de France, 1930.

A-O. EXMELIN : *Histoire des aventuriers flibustiers*, éd. présentée par Jehan Mousnier, Paris, Éditions de Paris, 1956.

Leslie-A. FIEDLER : *Le retour du Peau-Rouge*, le Seuil, 1970.

Pierre HUBAC : *Les barbaresques*, Paris, Berger-Levrault, 1949.

Gilbert LAPOUGE : *Les pirates*, Paris, Colin, 1969.

Claude MAURIAC : *Simenon et le secret des hommes*, Preuves, Paris, sept. 1956.

Edgar MORIN : *Le roman policier dans l'imagination moderne*, la Nef n° 33, oct. 1950, pp. 69-75.

Jean-Pierre RICHARD : *Petites notes sur le roman policier*, Le Français dans le monde, juil-août 1967.

Albert THIBAUDET : *Le roman de l'aventure*, N.R.F. 6e année, n° 72, 1/9/1919.

Distingue le roman d'aventures, roman d'action, du roman d'analyse, roman de la passion. A propos de *Kœnigsmark* (P. Benoit) et de *L'Atlantide*, analyse le roman d'aventures romanesques qui présente « une image artificielle et belle de l'éternel féminin autour de laquelle se déroule l'aventure » Étudie le roman d'aventures chez les Anglo-Saxons et le roman de l'aventure intellectuelle (*Le maître du navire* de Louis Chadourne.)

● INDEX

ACHEVÉ D'IMPRIMER LE 16 AVRIL 1973
SUR LES PRESSES DE L'IMPRIMERIE HÉRISSEY - ÉVREUX
D/1973/0190/106